LES GRANDS CLASSIQUES

LES TROIS MOUSQUETAIRES

Alexandre Dumas

adaptation de
Malvina G. Vogel

traduite par
Nicole C. Lavigne

illustrations de
Pablo Marcos Studio

EDITIONS ABC
DIVISION PAYETTE & SIMMS INC.

LES GRANDS CLASSIQUES ILLUSTRES

collection dirigée par
Malvina G. Vogel

EDITIONS ABC

Division Payette & Simms Inc.

SAINT-LAMBERT (Québec) CANADA

Imprimé au Canada

Table des matières

Chapitre **page**

Un mot sur l'auteur

Même à l'âge de cinq ans, en 1807, Alexandre Dumas savait qu'il était différent des autres garçons de Villers-Cotterêts. En effet, Alexandre était de sang-mêlé, moitié noir, moitié blanc, et personne, jamais, ne lui permettait de l'oublier.

L'école ennuyait le jeune Alexandre et, en grandissant, son goût pour la chasse et la vie en plein air s'accentua. Mais quand Alexandre eut seize ans, sa vie changea du tout au tout. Il alla au théâtre et vit une pièce pour la première fois—une représentation de "Hamlet", de Shakespeare—et dès lors, il ne rêva plus que d'aller à Paris et de devenir dramaturge.

Pendant des années, Dumas eut un emploi dans un bureau et écrivit à ses moments perdus. Il connut un certain succès avec ses premières productions de pièces de théâtre et de livres de voyage. Mais ce n'est qu'en 1844 qu'Alexandre Dumas trouva le style d'écriture qui le rendit riche et célèbre: le roman historique.

La technique de Dumas consistait à choisir dans l'histoire de France des personnes qui avaient réellement existé et des événements qui s'étaient réellement produits et d'y ajouter des personnages principaux imaginaires à qui il faisait vivre toutes sortes d'aventures amusantes et intéressantes.

Les plus célèbres des romans de Dumas sont: "Les trois mousquetaires", "Le comte de Monte-Cristo", et "L'homme au masque de fer".

Alexandre Dumas écrivit plus de trois cents livres dans sa vie, plus que tout autre auteur. Grâce à eux, il gagna beaucoup d'argent. Mais il dépensa tout ce qu'il avait gagné, faisant construire des demeures élégantes, achetant des théâtres et des journaux, entretenant un groupe de grands artistes et d'écrivains à Paris, et faisant la cour à beaucoup de femmes.

L'homme qui avait tant enrichi le monde avec ses livres mourut en 1870—sans un sou!

D'Artagnan, le fier Gascon.

Chapitre 1

D'Artagnan

Le jeune homme qui, en ce mois d'avril 1625 entra dans le bourg de Meung fit tant d'effet, que les gens s'arrêtaient pour le voir passer sur son cheval. Car ce jeune homme était à cheval et devait être Gascon, car seul un Gascon aurait l'audace d'être vu à dos d'une telle monture. C'était un vieux bidet du Béarn, d'un jaune ridicule, sans crins à la queue et si honteux de son apparence, qu'il allait la tête plus bas que les genoux.

Mais son cavalier, le chevalier d'Artagnan, respirait la fierté. Il allait à Paris pour entrer aux mousquetaires du Roi, ces braves et audacieux soldats qui formaient la garde de Louis XIII, roi de France.

D'Artagnan avait pour toute possession trois présents de son père: quinze écus, une épée, dans sa famille depuis plusieurs générations, et une lettre d'introduction pour M. de Tréville capitaine des mousquetaires. Il portait aussi en lui les paroles de son père:

—Mon fils, avait-il dit, je vous ai appris à manier l'épée avec finesse. Aussi, ne reculez jamais devant une occasion de duel. Vous devez être brave pour deux raisons: vous êtes Gascon, et vous êtes mon fils.

Ces mots résonnaient encore dans ses oreilles, quand d'Artagnan descendit de cheval à l'auberge du Franc-Meunier. Trois hommes, qui se tenaient à l'entrée, lui jetèrent un coup d'œil, puis un deuxième, et éclatèrent de rire.

—Allons messieurs, dit d'Artagnan—dites-moi ce qui vous fait rire et nous rirons ensemble.

Les présents d'un père

Un homme grand, basané, noble d'allure, avec un bandeau noir sur l'œil et une cicatrice sur la joue, se retourna lentement.

—Monsieur, je ne vous parle pas, dit-il avec un sourire dédaigneux.

—Mais je vous parle, moi! gronda d'Artagnan, bouillonnant de colère.

Le gentilhomme l'ignora, montra à nouveau le cheval du doigt, et tous trois repartirent à rire de plus belle.

—Monsieur, tel qui rit du cheval, n'oserait pas rire du maître, dit d'Artagnan en tirant son épée.

—Personne ne me dit si je peux rire ou non: je ris quand il me plaît, dit l'homme en se tournant pour entrer dans l'auberge.

Mais d'Artagnan n'était pas homme à laisser qui que ce soit rire à ses dépens sans réagir. Il s'élança en criant:

—Tournez monsieur, ou je vous transperce!

A ces mots, l'homme virevolta et tira son épée, mais au même moment, ses amis

Les inconnus se moquent du cheval.

tombèrent sur d'Artagnan avec des bâtons et des pelles. Un coup violent lui ouvrit la tête, un autre l'assomma complètement.

L'aubergiste délégua deux serviteurs qui portèrent le jeune homme à l'intérieur. Quand ils le mirent au lit, une lettre tomba de sa poche. L'aubergiste la ramassa et vit qu'elle était adressée à M. de Tréville.

—Tiens . . . Le gentilhomme dehors trouvera ça intéressant, peut-être . . .

Et comment! Le gentilhomme prit la lettre et murmura en lui-même:

—Qu'est-ce que ce gamin a à voir avec mon ennemi? Tiens, tiens . . . Bah! L'important maintenant est mon affaire avec Milady. Je verrai cela plus tard.

Cependant, d'Artagnan avait repris connaissance et alla vers la porte en titubant. Il vit le gentilhomme parler à une femme, jeune et belle, assise dans un carrosse. D'Artagnan entendit leur conversation.

—Le Cardinal vous ordonne de retourner en

Une lettre intéressante

Angleterre, Milady. Montrez-vous à la cour et prévenez-le si le duc de Buckingham quitte Londres.

—Je comprends, mais vous devez repartir vous aussi. Le moindre délai, comme ce gamin, peut tout perdre.

Sur ces mots, le gentilhomme sauta sur son cheval et partit en direction de Paris.

—Reviens, espèce de lâche! s'écria d'Artagnan courant dehors. Mais affaibli par ses blessures il ne put faire que quelques pas. Etourdi, il rentra dans l'auberge non sans se demander ce que signifiait cette mystérieuse conversation. Le Cardinal dont ils avaient parlé ne pouvait être que le Cardinal de Richelieu, l'homme tout-puissant qui gouvernait véritablement la France. Et Buckingham, n'était-il pas Premier ministre d'Angleterre—le réel pouvoir derrière le roi Charles Ier? Qu'est-ce qui se complotait? Une guerre? Notre Gascon se promit de découvrir la vérité à Paris.

Une mystérieuse conversation

Le lendemain matin, alors qu'il s'apprêtait à poursuivre son voyage, d'Artagnan s'aperçut que sa précieuse lettre avait disparu. Fou furieux, il se précipita sur l'aubergiste et exigea la vérité.

—Ah Monsieur! dit l'homme apeuré, c'est ce gentilhomme que vous avez provoqué en duel. Il l'a volée quand vous vous êtes évanoui.

—Le maraud! Je m'en plaindrai à M. de Tréville dès mon arrivée à Paris.

Alors, d'Artagnan quitta Meung, jurant entre ses dents:

—Tu me le paieras! Monsieur l'homme au bandeau noir, tu ne m'échapperas pas!

La lettre de d'Artagnan a disparu.

Voici les vrais mousquetaires

Chapitre 2

Le capitaine des mousquetaires

Quand d'Artagnan entra dans l'hôtel de Tréville, quartier-général de la compagnie, il admira du regard les groupes de mousquetaires disséminés dans la cour. Ils s'exerçaient à l'épée, bavardaient, buvaient, s'interpellaient, et échangeaient des blagues qui semblaient toutes avoir pour cible les gardes du Cardinal qui étaient les rivaux des mousquetaires du Roi.

Lorsqu'enfin il atteignit le portail de l'immeuble, d'Artagnan demanda à la sentinelle de l'annoncer à M. de Tréville.

Quelques minutes plus tard, le capitaine lui-même se montra à la porte. Il fit signe à d'Artagnan de monter dans son bureau, puis appela d'une voix de plus en plus forte: "Athos! Porthos! Aramis!"

Deux mousquetaires quittèrent aussitôt la cour et suivirent M. de Tréville. Les mousquetaires se mirent au garde-à-vous pendant que le capitaine arpentait le bureau de long en large. Soudain, de Tréville s'arrêta et les toisa avec colère.

—Messieurs, s'écria-t-il, le cardinal me rapporte que trois de mes hommes ont été arrêtés par ses gardes à la suite d'une bagarre de cabaret. On vous a reconnus! Vous, Porthos, vous, Aramis, vous, . . . Mais où est Athos? Je l'ai appelé lui aussi!

—Monsieur, Athos est malade, répondit tristement Aramis.

—Malade! Que voulez-vous dire? Blessé?

—Eh bien, oui Monsieur, dit Porthos.

La vérité est qu'ils étaient six contre nous.—

M. de Tréville réprimande Porthos et Aramis.

Nous nous sommes battus comme des lions, mais Athos a été gravement blessé à l'épaule. En route, nous avons réussi à nous échapper.

—Ah! Je vois... Le Cardinal n'a pas dit toute la vérité.

Tréville sourit avec fierté et, à ce moment, la porte s'ouvrit et quelqu'un entra.

—Athos! s'écria Monsieur de Tréville.

—Vous m'avez demandé, Monsieur, dit Athos d'une voix faible.

—Oui, Athos, j'allais dire à vos amis que j'interdis à mes mousquetaires de mettre leur vie en danger, mais que je suis fier de vous tous!

Tréville saisit la main d'Athos et la serra sans voir la grimace de douleur du brave soldat. Quand l'audience des mousquetaires fut terminée, il se tourna vers d'Artagnan.

—Voyons, Monsieur, que puis-je faire pour le fils de mon plus vieil ami?

—Monsieur, dit d'Artagnan, j'allais vous demander de me prendre aux mousquetaires,

"Athos!"

mais je vois bien que je ne suis pas encore digne de cet honneur.

—C'est vrai. Il faut d'abord accomplir une action d'éclat, un acte de grand courage, ou servir deux ans dans un autre régiment.

—Si seulement j'avais ma lettre d'introduction, vous sauriez que je n'ai pas besoin d'apprentissage!

D'Artagnan raconta alors l'incident de Meung et décrivit l'inconnu qui avait volé sa lettre.

—Dites moi d'Artagnan, l'homme avait-il une cicatrice sur son visage?

—Oui. Sur la joue droite.

—Un bandeau noir sur son œil gauche?

—Oui Monsieur, j'en suis certain.

—Avez-vous entendu le nom de la dame?

—Il l'appelait "Milady".

—Quelles instructions lui a-t-il données?

—Le Cardinal souhaitait qu'elle retourne en Angleterre et qu'elle le prévienne si le duc de Buckingham quittait Londres.

Description du bandeau de l'inconnu

—C'est lui! C'est lui! s'exclama de Tréville.

—Monsieur, si vous savez son nom, je vous supplie de me le dire. Je dois me venger de ses insultes.

—Non, non! Ne le cherchez pas! Jamais! Oubliez toutes ces idées de vengeance. Je vais écrire une lettre qui vous fera admettre dans le régiment des Essarts. Vous ferez un excellent cadet, j'en suis sûr.

Monsieur de Tréville s'assit à son bureau et commença à écrire. En l'attendant, d'Artagnan alla vers la fenêtre et regarda au-dehors. Soudain, il fit un bond en arrière et se précipita vers la porte.

—Ah! Il ne m'échappera pas, cette fois!

—Qui? Mais qui donc? dit Tréville.

—Lui, l'homme de Meung, le voleur de ma lettre cria d'Artagnan en se ruant au-dehors.

D’Artagnan aperçoit l’inconnu.

D'Artagnan fonce tête la première dans Athos.

Chapitre 3

Trois duels

D'Artagnan se précipita dans les escaliers, dévalant les marches quatre à quatre. Aveuglé par la colère, il alla donner tête baissée dans un mousquetaire debout sur le palier.

—Excusez-moi, dit d'Artagnan, essayant de se dégager, mais je suis pressé.

Le mousquetaire lui barra le passage.

—Vous êtes pressé? Cela vous donne-t-il le droit de me renverser?

—Ma foi, dit d'Artagnan, je ne l'ai pas fait exprès. Et maintenant, je vous en prie, laissez-moi passer.

—Monsieur, dit Athos, vous n'êtes pas poli.

—Morbleu! Ce n'est pas vous qui m'apprendrez les belles manières!

—Alors, peut-être, une leçon d'escrime!

—Je suis votre homme! Où cela?

—Derrière le couvent des Carmes à midi.

D'Artagnan acquiesça d'un signe de tête et reprit sa course jusque dans la cour.

Porthos se tenait près de la porte causant avec un garde. D'Artagnan jugea qu'il pouvait passer entre les deux hommes et il s'élança comme une flèche.

Mais à ce moment, le vent gonfla le long manteau de Porthos et retomba lourdement sur d'Artagnan qui se trouva tout empêtré.

—Morbleu! s'écria Porthos, êtes-vous fou furieux de vous jeter ainsi sur les gens?

—Monsieur, dit d'Artagnan émergeant du manteau du géant, excusez-moi, mais je suis très pressé.

—Est-ce que vous oubliez vos yeux quand vous courez, par hasard? Vous mériteriez d'être

Empêtré dans le manteau de Porthos

corrigé pour cela!

—Corrigé! Monsieur, le mot est dur! Et qui oserait?

—Moi, Monsieur! A une heure, derrière le Luxembourg.

—Très bien. A une heure.

D'Artagnan reprit sa course et passa dans la rue. Il regarda à droite, à gauche, mais il n'y avait plus trace de l'inconnu. Il parcourut toutes les ruelles du quartier, mais en vain: il avait disparu. Finalement, d'Artagnan abandonna ses recherches.

—Quel écervelé je suis! Quel sot! Je suis à Paris depuis moins de trois heures et déjà, j'ai réussi à déplaire à Monsieur de Tréville et à ramasser deux duels! Allons, continua-t-il, se parlant à lui-même en marchant, si par bonheur tu en réchappes, tu tâcheras d'être d'une politesse parfaite.

Levant les yeux, il aperçut Aramis qui bavardait avec trois gardes près du portail.

D'Artagnan n'aurait jamais interrompu la

“Quel écervelé je suis!”

conversation s'il n'avait vu Aramis faire tomber un mouchoir et mettre le pied dessus.

Croyant rendre service, d'Artagnan se baissa, tira le mouchoir de dessous le pied du mousquetaire et le tendit à Aramis.

—Je crois, Monsieur, que vous avez perdu votre mouchoir.

Aramis rougit jusqu'à la racine des cheveux et arracha le mouchoir des mains de d'Artagnan. Le parfum qui en émanait vint chatouiller les narines des gardes.

—Ah! Ah! cria l'un des gardes, un mouchoir de dentelle brodé d'une couronne! Un cadeau, sans doute? De l'une des dames de compagnie de la Reine? Raconte-nous...

Comprenant trop tard qu'il avait commis un impair, d'Artagnan essaya de s'excuser.

—J'espère, Monsieur, que vous voudrez bien me pardonner...

—Vous pardonnez? s'écria Aramis.

N'importe quel imbécile sait qu'on ne marche pas sans raison sur le mouchoir d'une

D'Artagnan ramasse le mouchoir d'Aramis.

dame!

—Un imbécile, dites-vous! s'écria d'Artagnan. J'ai essayé de m'excuser, non?

—Il n'y a qu'une façon de présenter ses excuses, dit Aramis, et c'est l'épée à la main. A deux heures, derrière l'église.

—J'y serai, répliqua d'Artagnan.

Il était presque midi et il dut courir pour être à l'heure à son rendez-vous avec Athos.

—Bon, pensa-t-il, si je suis tué, au moins ce sera par un mousquetaire.

Lorsque d'Artagnan atteignit le petit terrain vague derrière le couvent, Athos attendait déjà. Ils se saluèrent et Athos annonça que ses seconds arriveraient d'un moment à l'autre.

—Je n'ai point de seconds, moi, dit d'Artagnan. Je suis arrivé à Paris ce matin seulement et je n'y connais encore personne. Mais c'est un grand honneur de tirer l'épée contre un mousquetaire qui se bat malgré la douleur de sa blessure.

—Elle me fait un mal du diable! dit Athos.

Une poignée de main avant un duel

—Peut-être, si vous me permettez... acceptez ce baume que je tiens de ma mère. Il guérit toute blessure en deux jours.

—Monsieur, vous êtes trop aimable, répondit Athos, s'inclinant avec un sourire, je crois que si nous ne nous tuons pas l'un l'autre dans ce duel, nous serons de grands amis... Ah! Voici mes seconds!

D'Artagnan se retourna et vit deux mousquetaires qui approchaient.

—Vos seconds sont Porthos et Aramis?

—Ma foi oui, dit Athos. On ne nous trouve jamais l'un sans l'autre. Notre devise: "Tous pour un et un pour tous!"

—Qu'est-ce qu'il fait ici, celui-là? s'écria Porthos lorsqu' il aperçut d'Artagnan.

—C'est avec ce gentilhomme que je me bats, dit Athos.

—Mais c'est avec lui que je me bats aussi!

—Et moi aussi, ajouta Aramis.

—Alors, en garde, Monsieur Athos, et commençons, dit d'Artagnan, je ne veux pas faire

Les seconds d’Athos arrivent.

attendre mes deux autres adversaires.

Les deux hommes croisèrent leurs épées, mais à peine les fers avaient-ils cliqueté qu'un groupe de gardes du Cardinal apparut à l'angle du terrain.

—L'épée au fourreau, Messieurs, vite! cria Porthos. Ils vont sûrement faire valoir l'édit du Cardinal contre les duels.

Mais il était trop tard. Les gardes s'approchèrent et les déclarèrent en état d'arrestation.

—Ils sont cinq, dit Athos à mi-voix, et nous, trois. Je vous le dis, je mourrai ici plutôt que de reparaître vaincu devant M. de Tréville.

—Messieurs, interrompit d'Artagnan vous n'êtes pas trois, nous sommes quatre.

C'est vrai, je n'ai pas encore l'habit, mais mon cœur est mousquetaire!

—Eh bien, alors, en avant! cria Athos.

—En avant! crièrent-ils comme un seul homme en se précipitant sur les gardes du Cardinal. D'Artagnan se battait comme un

Les gardes du Cardinal approchent.

lion, fier de croiser le fer aux côtés de ses héros. En quelques minutes, quatre gardes tombèrent morts et le cinquième fut blessé.

—C'est assez, dit Athos. Portons-le jusqu'au couvent et partons.

Les trois mousquetaires prirent le bras de d'Artagnan et ils avançèrent d'un même élan, tenant toute la largeur de la rue. A chaque mousquetaire rencontré en chemin ils présentaient leur nouvel ami.

—Tous pour un, un pour tous! criaient-ils

C'était une marche triomphale et le cœur de d'Artagnan était rempli d'allégresse. Bientôt, il serait mousquetaire!

"Tous pour un et un pour tous!"

Les félicitations du Roi

Chapitre 4

D'Artagnan reçoit un visiteur

Quand Monsieur de Tréville apprit la défaite des gardes du Cardinal, il gronda tout haut ses mousquetaires et les félicita tout bas. Le Roi, lui aussi, était aux anges. Il donnait à Richelieu les plus grands pouvoirs, mais n'était pas fâché de le voir essuyer une défaite. Il fit appeler les quatre amis au palais pour les féliciter.

—Venez, mes braves, venez, dit le Roi.

D'Artagnan et les trois mousquetaires s'inclinèrent profondément devant leur Roi.

Quand Louis vit le jeune Gascon, il s'écria:

—Morbleu! Mais c'est un enfant! Et cependant vous avez combattu avec le plus grand courage aux côtés de mes mousquetaires! Venez, que je vous récompense. Prenez ces quarante pistoles, je suis sûr qu'elles vous seront de la plus grande utilité.

D'Artagnan prit la bourse de pièces d'or et s'inclina respectueusement.

—Sire, merci, dit-il.

—Messieurs, ajouta le Roi, merci de votre dévouement.

Après cela, d'Artagnan demanda à ses amis comment il devait dépenser son argent. Athos lui conseilla de commander un bon repas, Porthos de prendre un laquais et Aramis de trouver un logement.

Quand les trois choses furent faites, d'Artagnan s'installa dans sa vie de cadet. Il faisait son apprentissage de soldat avec enthousiasme, mais continuait à passer son temps libre avec les mousquetaires.

En dépit de l'amitié qui les unissait,

Une récompense pour bravoure

d'Artagnan apprit peu de choses sur ses amis.

Il savait qu'Athos était de la plus haute noblesse et avait eu un grand chagrin d'amour; que Porthos avait une liaison avec une duchesse; et qu'Aramis voulait entrer dans les ordres quand il quitterait l'armée.

Par contre, d'Artagnan apprit vite que quarante pistoles ne durent pas toujours. Ses poches étaient pratiquement vides quand son laquais Planchet introduisit un visiteur.

L'homme, la cinquantaine environ, court et trapu, lui était vaguement familier. Il le salua et demanda en quoi il pouvait lui être utile.

—Je sais que vous êtes un cadet plein de bravoure, Monsieur d'Artagnan, dit l'homme, et je vous vois toujours entouré de mousquetaires fort superbes. C'est pourquoi je vais vous confier mon secret.

—Parlez, Monsieur, dit d'Artagnan, flairant la perspective d'une aventure.

—Voici, Monsieur. J'ai une jeune femme qui est dame de compagnie de la Reine. Hier, en

D'Artagnan reçoit un visiteur.

sortant du palais, elle a été enlevée.

—Savez-vous pourquoi?

—A cause d'histoires de politique et d'amour à la cour. A cause des amours de . . . la Reine!

—La Reine Anne? s'écria d'Artagnan.

—Oui! Toute la France sait que notre pauvre Reine est abandonnée par le Roi et que leur mariage n'est là que pour préserver la paix entre la France et l'Espagne. On sait bien que notre belle et jeune Reine a donné son cœur au duc de Buckingham, et que le duc l'aime aussi.

—Mais comment savez-vous tout cela?

—Par ma femme, dit l'homme. Elle m'a aussi dit que depuis plusieurs semaines la Reine a de grandes craintes. Elle croit que le Cardinal essaie de faire venir le duc à Paris pour l'attirer dans quelque piège et la faire tomber, elle, dans la plus grande disgrâce.

—Mais qu'est-ce que tout cela a à faire avec l'enlèvement de votre femme?

—La Reine confie tous ses secrets à ma

Le secret du visiteur

chère Constance et je crains que le Cardinal n'essaie d'apprendre ces secrets.

—Savez-vous qui a enlevé votre femme?

—Je ne sais pas son nom, mais je peux vous le décrire. C'est un seigneur de haute taille, au teint basané avec une moustache noire. Il a une cicatrice sur la joue droite et un bandeau sur l'œil gauche.

—Sacrebleu! C'est mon homme de Meung! s'écria d'Artagnan. Vous êtes bien sûr de la description?

—Aussi sûr que je m'appelle Bonacieux!

—Vous vous appelez Bonacieux? Il me semble que je connais ce nom.

—C'est possible, monsieur. Je suis votre propriétaire. Et comme depuis trois mois, vos grandes occupations vous ont fait oublier de payer le loyer, j'ai pensé que, peut-être, vous trouveriez le temps de me venir en aide...

—Mais bien sûr, Monsieur Bonacieux! s'écria d'Artagnan, achevez votre récit.

Bonacieux sortit une lettre de sa poche.

Le ravisseur mystérieux

—Je l'ai reçue la nuit dernière, dit-il.

D'Artagnan lut: *"VOTRE FEMME VOUS SERA RENDUE QUAND ON N'AURA PLUS BESOIN D'ELLE. SI VOUS LA RECHERCHEZ VOUS SEREZ JETE EN PRISON!"*

—Ah! Monsieur! L'idée de la Bastille me terrifie. Aidez-moi, et j'oublierai les trois mois de loyer.

—Oui, dit d'Artagnan, c'est une excellente raison et vous m'avez convaincu.

Après le départ de Bonacieux, d'Artagnan envoya chercher Athos, Porthos et Aramis.

Quand les trois mousquetaires arrivèrent chez lui, il leur expliqua le problème de Bonacieux. Soudain, le propriétaire s'élança dans la chambre en criant:

—Sauvez-moi, ils viennent m'arrêter!

Quatre soldats du Cardinal, armés jusqu'aux dents, se tenaient à la porte.

—Entrez, Messieurs, cria d'Artagnan. Nous sommes les loyaux sujets du Roi et du Cardinal. Si vous êtes venus arrêter cet homme,

La lettre du ravisseur

prenez-le!

—Mais vous avez promis... s'écria le pauvre Bonacieux.

—Nous ne pouvons vous sauver que si nous sommes libres, murmura d'Artagnan.

Résigné, Bonacieux se laissa emmener par les gardes du Cardinal et, après leur sortie, Athos remarqua:

—Tu as agi avec une grande sagesse, d'Artagnan.

—Merci, mon ami. Messieurs, nous sommes en guerre contre le Cardinal!

Les gardes du Cardinal arrêtent Bonacieux.

D’Artagnan épie le rez-de-chaussée.

Chapitre 5

Une intrigue de cour

Après l'arrestation de M. Bonacieux, le rez-de-chaussée fut placé sous la plus stricte surveillance. Tous ceux qui y venaient étaient arrêtés et questionnés.

D'Artagnan voyait et entendait tout ce qui se passait grâce à un trou creusé dans le plancher de son appartement. Cette nuit-là, ce fut par ce trou qu'il entendit les cris et les gémissements d'une femme.

—Les misérables! marmotta d'Artagnan, ils la ligotent et ils la fouillent.

—Mais je vous dis que j'habite ici! cria la

jeune femme. Je suis Madame Bonacieux!

—Madame Bonacieux! murmura d'Artagnan. Elle est donc libre! Morbleu! Ils l'entraînent... ils vont l'emmener...

Comme mû par un ressort, d'Artagnan se leva, saisit son épée et se dirigea vers la fenêtre.

—Monsieur, que faites-vous? dit Planchet.

—Je descends par la fenêtre.

D'Artagnan s'agrippa au rebord de la fenêtre et sauta dans la rue. D'un coup de pied, il ouvrit la porte du rez-de-chaussée et s'élança dans la pièce, son épée nue à la main.

Quelques minutes plus tard, quatre gardes du Cardinal sortaient en courant, leurs vêtements lacérés, en lambeaux.

A l'intérieur, d'Artagnan regarda Madame Bonacieux à demi-allongée dans un fauteuil, évanouie. C'était une adorable jeune femme de vingt-cinq ans environ et il pensa:

—Bien trop jeune pour ce vieux mari!

—Ah, Monsieur, dit-elle en tendant les

D’Artagnan se lance dans l’action.

mains vers d'Artagnan, vous m'avez sauvée. Mais comment saviez-vous?

—Votre mari m'a demandé de vous retrouver, répondit-il.

—Je me suis échappée de la chambre où l'on me gardait en descendant par la fenêtre à l'aide de mes draps, expliqua-t-elle.

—Très adroit! dit d'Artagnan avec un sourire admiratif. Nous avons encore des choses à nous dire, mais cet endroit n'est pas sûr. Les gardes vont bientôt revenir.

—Je dois retourner au palais, ce soir-même, s'écria-t-elle. La Reine a besoin de mes services de la façon la plus urgente. M'aiderez-vous? Vous êtes jeune et plein de bravoure, mon mari est vieux et poltron. Je ne peux compter sur lui.

—Vous pouvez avoir confiance en moi, dit d'Artagnan. Dès que je vous ai vue, j'ai su que je ferai n'importe quoi pour vous.

—Oh, merci, il est si doux d'avoir confiance, comme je pourrais vous aimer . . . soupira-t-elle.

“Vous m’avez sauvée.”

—Dites-moi seulement comment vous servir, dit d'Artagnan à genoux devant elle.

—Les gardes du Cardinal me recherchent, dit-elle. Accompagnez-moi jusqu'au palais et assurez-vous que je ne suis pas suivie.

—N'ayez aucune crainte, douce Constance. Je jure que rien ne vous arrivera.

Comme convenu, Constance partit en avant, d'Artagnan la suivant à vingt pas de distance. Après quelques minutes de marche, elle s'arrêta devant une porte et frappa trois fois. La porte s'ouvrit et une forme sombre vint la rejoindre.

Quand cet homme plaça son bras autour des épaules de Constance, d'Artagnan fut envahi d'une colère meurtrière. Comment pouvait-elle le trahir quelques minutes après lui avoir promis son amour.

D'Artagnan bondit en avant et barra la route.

—Que voulez-vous, Monsieur? Laissez-nous passer, dit l'homme avec un fort accent

Pourquoi Constance s'arrête-t-elle?

étranger.

—Lâchez cette dame! cria d'Artagnan.

—Oh, d'Artagnan, murmura Constance, que faites-vous? Vous ne pouvez pas m'interrompre.

—Vous interrompre? Quand vous allez vous jeter dans les bras d'un autre homme! cria d'Artagnan en tirant son épée.

Voyant cela, l'homme dégaina lui aussi.

—Au nom du ciel, Milord, arrêtez-vous, cria Constance, se jetant entre eux deux.

—Milord? demanda d'Artagnan, serait-il possible que vous soyez . . .

—Oui, dit Constance, Sa Grâce, le duc de Buckingham. Je l'accompagne chez la Reine.

—Milord, mille pardons, dit d'Artagnan mettant le genou à terre. J'aime Madame Bonacieux et je crains que ma jalousie ne vous ait mis en danger. Comment puis-je me faire pardonner?

—Suivez-nous à vingt pas jusqu'au palais. Si quelqu'un tente de nous arrêter, tuez-le!

"Au nom du ciel, Milord, arrêtez-vous!"

—Oui, Milord, dit d'Artagnan. Et il les suivit jusqu'à un des guichets du Louvre où ils passèrent les lourdes portes de fer.

Constance conduisit le duc par un escalier dérobé jusqu'à une petite pièce éclairée par quelques chandelles.

—Anne! cria le duc, en se jetant aux genoux de la Reine de France.

—Pourquoi êtes-vous venu, Milord? murmura-t-elle, son visage comme paralysé par la terreur. Vous savez que c'est un piège du Cardinal et pourtant vous avez risqué votre vie et mon honneur!

—Il fallait que je vous voie. Cela valait tous les risques!

—Mais c'est de la folie! s'écria Anne. Le Cardinal veut ma ruine.

—Ma chère, ma chère Anne! murmura le duc en la prenant dans ses bras.

—Oh, Milord, dit-elle. Je suis l'épouse du Roi. Je ne ferai rien qui porte atteinte à son honneur. Partez, je vous en prie, partez!

"Pourquoi êtes-vous venu, Milord?"

—Oui, je vais partir. Mais donnez-moi un objet qui m'aide à vous garder dans mon cœur: une bague, une chaîne, n'importe quoi, que je puisse porter en souvenir de vous.

Anne dégrafa un ruban attaché à son cou, avec douze ferrets de diamants.

—Prenez ceci en souvenir de moi, Milord.

Le duc contempla la femme qu'il aimait.

—Anne, quand je vous reverrai, je n'aurai pas à me cacher, je serai le conquérant de la France!

Buckingham baisa les mains de la Reine, puis s'élança hors de la pièce.

Constance le conduisit hors du palais, jusqu'à la petite maison où il était caché depuis son arrivée. Là, une voiture l'emporta vers la côte et l'Angleterre.

Un gage d'amour de la Reine

L'interrogatoire de M. Bonacieux

Chapitre 6

Les espions du Cardinal

Pendant ce temps, Monsieur Bonacieux avait été arrêté et conduit à la Bastille. Dans un cachot souterrain, il fut interrogé par un officier.

—Prisonnier, vous et votre femme êtes accusés de complot contre la France.

—De complot? Mais je ne sais rien, cria Bonacieux. Et ma femme a été enlevée.

—Savez-vous qui a enlevé votre femme?

—Je soupçonne un seigneur de haute taille, brun avec un bandeau sur l'œil gauche.

L'officier s'arrêta d'écrire, surpris par ce

qu'il venait d'entendre.

—Ceci, dit-il, est pour le Cardinal lui-même.

Bonacieux fut sorti du cachot, jeté dans un carrosse clos, roulant à tombeau ouvert, éjecté devant un immeuble imposant et conduit au premier étage.

A l'intérieur d'une pièce élégamment meublée, il se trouva en face d'un homme à cheveux gris, de taille moyenne, avec un visage arrogant aux yeux perçants. Il portait une petite calotte rouge et sa longue robe écarlate tombait jusqu'au sol. Une grande croix d'or pendait à son cou. Cet homme était Armand Duplessis, Cardinal de Richelieu, l'homme le plus puissant de France.

—Ainsi, vous êtes Bonacieux! dit le Cardinal avec un sourire dédaigneux. Vous êtes accusé de haute trahison contre la France, avec votre femme et le duc de Buckingham.

—Mais ma femme a été enlevée, Monseigneur, et quand j'ai décrit l'homme à votre officier, il m'a fait amener ici.

Le Cardinal de Richelieu

Le Cardinal prit une clochette d'argent et sonna. Un homme de haute taille, basané, l'œil gauche couvert par un bandeau noir se présenta à la porte.

—C'est lui! cria Bonacieux, celui qui a enlevé ma femme!

Richelieu sourit et sonna de nouveau. Deux gardes entrèrent.

—Emmenez le prisonnier. Gardez-le à vue.

Aussitôt que la porte fut refermée, Richelieu se tourna vers l'homme au bandeau noir et dit:

—Eh bien, Rochefort, comme vous le voyez, vous avez été reconnu par cet imbécile. Voyons, qu'avez-vous à m'apprendre, mon ami?

—Votre ami? Quel honneur, Monseigneur! Votre espion le plus fidèle et le plus dévoué, peut-être, quand je n'échoue pas. J'ai laissé Madame Bonacieux s'enfuir. Mais elle est sans importance maintenant, car j'ai des nouvelles bien plus intéressantes. Le duc et la Reine se sont vus au palais.

Bonacieux reconnaît l’homme.

—Que s'est-il passé? demanda Richelieu.

—Une dame de compagnie écoutait derrière un rideau, dit Rochefort. Elle nous a dit que la Reine a donné à Buckingham, en gage d'amour, son ruban de ferrets de diamants. Cela devrait être du plus haut intérêt pour le Roi car ce sont les ferrets qu'il a donnés à la Reine pour son anniversaire.

—Excellent travail, Rochefort. Ces ferrets sont la perte de la Reine! Il faut immédiatement contacter Milady de Winter à Londres. Elle est à la cour, donc elle verra le duc porter les ferrets. Elle va en subtiliser deux et me les apporter.

Richelieu s'assit et écrivit rapidement.

—Voilà, dit-il, passant la lettre à Rochefort, donnez immédiatement ce message à un courrier rapide pour Londres. Ah! Et demandez aux gardes de ramener Bonacieux dans mon bureau.

Le pauvre homme épouvanté entra et tomba à genoux aux pieds du Cardinal.

Richelieu complote contre la Reine.

—Comment puis-je prouver mon innocence? cria-t-il.

—Relevez-vous, mon ami, dit Richelieu en lui offrant la main. J'ai été mal informé et vous êtes un honnête homme.

—Le Cardinal me croit! Le Cardinal m'appelle son ami!

—Oui, mon ami, répondit Richelieu d'une voix doucereuse. Vous avez été injustement arrêté et je dois m'en excuser. Tenez, prenez ce sac de cent pistoles et ne me gardez pas rancune.

—Oh! Monseigneur, merci! Vous êtes le plus grand, le plus noble des hommes.

Mais le grand homme pensait simplement: Bon, je viens de gagner un nouvel espion! Et celui-là espionnera sa propre femme!

Richelieu s'excuse.

Une lettre de Milady

Chapitre 7

Les ferrets de la Reine

Milady reçut la lettre de Richelieu et deux semaines après envoya la réponse suivante:

JE SUIS EN POSSESSION DES DEUX FERRETS. MAIS J'AI BESOIN D'ARGENT POUR REGAGNER PARIS. MILADY.

Richelieu calcula qu'il faudrait dix jours pour l'envoi de l'argent en Angleterre et le retour de Milady à Paris. Dix jours, donc, pour établir ses plans.

Tout d'abord, il se rendit chez le Roi.

—Votre Majesté, dit-il, la Reine paraît bien songeuse ces jours-ci, ne pensez-vous pas qu'un bal lui ferait plaisir? Ce serait l'occasion de porter ces magnifiques ferrets de diamants.

—Bonne idée! s'exclama le Roi. Je vais l'annoncer à la Reine. Quand pourrions-nous avoir cette fête?

—Dans une dizaine de jours, Sire, qu'en pensez-vous?

—Très bien! Je dirai donc à Sa Majesté que le bal aura lieu le trois octobre.

Le Roi se rendit immédiatement chez la Reine et annonça le bal. Quand il ajouta qu'il tenait particulièrement à la voir porter sa parure de ferrets de diamants, la pauvre Reine pâlit et manqua s'évanouir.

Après le départ du Roi, la Reine tomba à genoux et enfouit sa tête dans ses mains. —Je suis perdue! pensa-t-elle, le Cardinal doit savoir que je n'ai plus les ferrets et ce bal est le piège qui verra ma disgrâce!

—Votre Majesté, peut-être puis-je vous venir en aide, dit une petite voix douce.

—Oh Constance! Vous avez entendu? Mais

“Vous devez porter vos ferrets de diamants.”

où trouver celui qui pourrait voir le duc et reprendre les ferrets?

—Je le trouverai, dit Constance, mais il lui faudra une lettre de vous pour que le duc le reçoive et le croit.

—Oui, bien sûr, s'écria la Reine en se hâtant vers sa table. Elle donna la lettre à Constance et mille pistoles. Prenez! C'est votre récompense et celle de votre messager. Je vous devrai mon honneur!

Constance rentra chez elle et trouva son mari qu'elle n'avait pas vu depuis une semaine.

—Cher mari, causons! lui dit-elle, voulez-vous faire une très bonne action et gagner beaucoup d'argent.

—Beaucoup d'argent?

—Mille pistoles, si vous remettez à temps une lettre à Londres.

—A Londres! Encore et toujours des intrigues! Vos intrigues vont me faire renvoyer à la Bastille. Non merci! Le Cardinal m'a bien

Une lettre pour le duc

prévenu.

—Le Cardinal? Vous avez vu le Cardinal?

—Oui! J'ai eu ce grand honneur. Il m'a appelé son ami, et m'a donné cent pistoles, dit Bonacieux, en montrant fièrement le sac de pièces d'or. Aussi, ne croyez pas que vous allez vous livrer encore à des complots contre lui, tout cela pour le bénéfice de la Reine!

Constance fut horrifiée à l'idée du danger qu'elle avait couru de trahir le secret de la Reine en se confiant à ce lâche, cet avare, ce misérable!

Bonacieux, lui aussi, comprit qu'il avait manqué l'occasion d'obtenir des renseignements précieux pour le Cardinal. Il essaya de se rattraper et d'en apprendre plus sur le but du voyage.

—Ma chère Constance, susurra-t-il, vous savez comme je vous aime et que je ne peux rien vous refuser. A qui dois-je porter la lettre?

—Non. N'y pensez plus! dit-elle devinant le jeu de son mari. C'était sans importance, un

Bonacieux ne veut pas d'intrigues.

caprice de femme...

Bonacieux décida de donner quand même le renseignement au Cardinal. Il prétexta un rendez-vous d'affaires, mais promit d'être là pour la raccompagner au palais.

Dès qu'il fut sorti, Constance laissa exploser sa colère.

—Ah! Il ne vous manquait plus que ça! Vous n'étiez déjà pas grand-chose avant, mais vous voilà maintenant un espion du Cardinal! Ah misérable, comme je vous hais! Vous me le paierez, je le jure!

Au moment où elle prononçait ces paroles, un coup frappé au plafond lui fit lever la tête et une voix lui parvint:

—Ma chère Constance, montez par l'escalier de derrière. Peut-être puis-je vous aider!

“Vous me le paierez.”

D'Artagnan offre son aide à Constance.

Chapitre 8

En mission à Londres

—Vous avez entendu? demanda Constance dès qu'elle entra.

—Oui, tout, répondit d'Artagnan. La Reine a besoin d'un homme brave, intelligent et dévoué qui aille à Londres. Me voici!

Les yeux de Constance, brûlants de haine un moment plus tôt, se radoucirent quand ils se posèrent sur ce courageux jeune homme.

—Merci, d'Artagnan. Je sais que je peux me fier à vous.

—Madame, je mourrais volontiers pour vous et pour la Reine!

Constance sortit de sa poche le sac de pistoles de son mari et le donna à d'Artagnan.

—Tenez. Vous aurez besoin d'argent pour le voyage, dit-elle.

—L'or du Cardinal! Je sauverai la Reine avec l'or du Cardinal. Voilà qui est vraiment très drôle! dit le Gascon en riant aux éclats.

—Chut, murmura Constance, j'entends des voix en bas. C'est sûrement mon mari.

D'Artagnan et Constance rapprochèrent leurs visages du trou dans le plancher. C'était bien Bonacieux revenu chez lui avec un homme enveloppé dans un manteau.

D'Artagnan, le souffle coupé par la surprise, reconnut son inconnu de Meung.

—C'est le comte de Rochefort, murmura Constance, l'âme damnée du Cardinal.

—Elle est probablement retournée au palais, disait Bonacieux.

—Etes-vous sûr qu'elle ne soupçonne rien? demanda Rochefort.

—Non, non! répliqua Bonacieux méprisant.

Des voix familières au-dessous

Elle est bien trop sotte pour cela.

—Oh! le monstre! dit Constance.

—Cette fois, c'est vous qui vous êtes conduit comme un sot. Il fallait prendre la lettre et la porter à . . .

—Je peux encore l'avoir, dit Bonacieux. Ma Constance m'adore. Elle me donnera la lettre et je la remettrai au Cardinal.

—Ah le traître! s'écria Constance après leur départ. Mais il n'y a pas de temps à perdre. Je dois retourner auprès de la Reine et vous devez partir pour l'Angleterre.

D'Artagnan embrassa Constance, et quitta la maison. Avant de partir, il devait se rendre chez M. de Tréville pour obtenir un congé.

Tréville écouta la requête de d'Artagnan.

—Vous savez, bien sûr, que le Cardinal fera tout pour vous arrêter en route?

—Oui, Monsieur, et c'est pourquoi je voulais vous demander d'accorder le même congé à Athos, Porthos et Aramis. Si nous sommes quatre, je suis sûr que l'un de nous, au moins,

"C'était vous le sot, Bonacieux."

arrivera jusqu'au bout.

—Bonne idée, dit M. de Tréville en lui donnant les quatre permissions.

C'est ainsi que dans l'heure qui suivit on put voir quatre cavaliers sortir de Paris au triple galop et prendre la route de Calais.

Le voyage se poursuivit d'abord sans incident. Le lendemain, ils s'arrêtèrent dans une auberge et venaient juste de finir leur repas quand un ivrogne demanda à Porthos de boire à la santé du Cardinal.

—Volontiers, dit le mousquetaire, si vous acceptez de boire à la santé du Roi.

—Je ne boirai jamais à la santé du Roi, dit le soi-disant ivrogne en tirant son épée.

Porthos, qui n'était pas homme à refuser un combat, cria à ses compagnons de partir.

Quelques heures plus tard, les trois cavaliers rencontrèrent un groupe d'hommes qui réparaient la route. Mais soudain, les soi-disant terrassiers ouvrirent le feu.

—C'est une embuscade, cria d'Artagnan.

Un ivrogne cherche querelle.

Pas la peine de riposter! En avant!

Cependant, avant qu'ils puissent échapper au tir, une balle transperça l'épaule d'Aramis. Sans rien montrer, il continua à galoper, mais au bout de deux heures la perte de sang l'affaiblit à tel point qu'il fut obligé de s'arrêter dans une ferme.

Athos et d'Artagnan poursuivirent leur chemin. Après vingt heures passées en selle, ils s'arrêtèrent dans une auberge.

L'aubergiste demandant à être payé d'avance, Athos le suivit dans son bureau et quatre hommes armés jaillirent de derrière la porte.

—Je suis pris! cria Athos de toutes ses forces. Au large, d'Artagnan, pique! Pique!

D'Artagnan sauta sur son cheval et partit au galop. Le lendemain soir, il atteignit le port de Calais d'où partait le bateau pour l'Angleterre. Sur le quai, il vit un homme de haute taille qui parlait au capitaine.

—Je dois passer à l'instant même en An-

Les compagnons échappent au tir.

gleterre, disait-il.

—Rien à faire, sans un permis spécial du Cardinal. Ce sont les ordres!

—Mais j'ai ce permis, dit l'homme en sortant un papier de la poche.

Le capitaine examina le papier puis le rendit au gentilhomme.

—C'est bon, Monsieur, vous êtes en règle. Nous mettrons à la voile dans une heure. Attendez à l'auberge, si vous voulez.

Quand l'homme quitta le quai et avança en direction de d'Artagnan, celui-ci vit le bandeau noir. C'était le comte de Rochefort!

D'Artagnan tira son épée du fourreau et, d'un bond, se planta en face de son ennemi.

—Donnez-moi ce permis, dit-il.

—Vous! s'écria Rochefort. Vous! Le petit Gascon au cheval jaune!

Où sont vos amis mousquetaires pour vous défendre, maintenant?

—Je n'ai besoin de personne pour me défendre, s'exclama d'Artagnan, coupant l'air

Un permis pour traverser la Manche

de son épée. Le permis, vite! Mort ou vif, vous me le donnerez!

Rochefort tira son épée et les deux hommes se précipitèrent l'un sur l'autre. En quelques minutes, d'Artagnan réussit à blesser Rochefort trois fois, s'exclamant à chaque coup: "Un pour Athos! Un pour Porthos! Un pour Aramis!"

Enfin, au troisième coup, Rochefort tomba. Le croyant mort, d'Artagnan se pencha pour prendre le permis et Rochefort, qui était seulement blessé, rassembla ses forces, et lui allongea un terrible coup d'épée en criant: "Et un pour vous!".

—Et un pour moi! cria d'Artagnan plongeant son épée jusqu'à la garde.

D'Artagnan prit le permis et courut vers le bateau. A bord, il examina sa blessure et se rendit compte qu'elle n'était pas trop sérieuse. Epuisé, il s'étendit sur le pont et s'endormit.

Le lendemain matin, le bateau arriva à Douvres et d'Artagnan mit le pied sur la terre

“Et un pour moi!”

d'Angleterre.

Pendant qu'on sellait son cheval de poste, il regardait autour de lui avec curiosité, observant les passagers qui embarquaient pour la France. Une jeune femme blonde, d'une grande beauté, attira son regard. C'était celle qu'il avait vue dans un carrosse à Meung, celle que l'on appelait Milady. Rochefort se rendait-il en Angleterre pour la voir? Il écarta la pensée, pressé d'arriver à Londres.

Un valet ouvrit la porte de l'hôtel du duc.

—Qui dois-je annoncer, Monsieur?

—Dites seulement à Sa Grâce que c'est le jeune homme qui l'a provoqué en duel à Paris, répondit d'Artagnan.

Buckingham arriva et, livide, s'enquit:

—Est-il arrivé malheur à la Reine?

—Non, Milord. Mais elle court un grand danger. Voici sa lettre.

Buckingham la prit et s'exclama:

—Juste ciel! Qu'ai-je lu? Oh, ma pauvre, ma chère Anne! Vite, Monsieur, suivez-moi.

D'Artagnan aperçoit Milady dans la foule.

Buckingham entraîna d'Artagnan jusqu'à une pièce dont il ouvrit la porte avec une clef d'or suspendue à son cou. D'Artagnan suivit le duc dans une sorte de chapelle, brillamment éclairée, où se trouvait un portrait de la reine. Le duc alla à une table et ouvrit un coffret de bois ouvragé d'où il tira un ruban couvert de diamants.

—Voici la précieuse parure de ferrets de diamants.

Soudain il poussa un cri.

—Qu'y a-t-il, dit d'Artagnan.

—Il manque deux ferrets! Voyez! Il n'y en a plus que dix.

—Milord, les auriez-vous perdus?

—Non, ils ont été volés. Voyez, le ruban est coupé. Mais enfin, qui aurait pu . . . Attendez! La seule fois que je les ai portés à la cour, c'était la semaine dernière et Milady de Winter était avec moi. C'est cela! Bien sûr! Elle les a volés sur les ordres du Cardinal.

—Je l'ai vue à Douvres au moment où elle

"Il manque deux ferrets!"

s'embarquait pour la France, dit d'Artagnan.

—Alors, il n'y a pas un instant à perdre, dit le duc en se précipitant hors de la chapelle, entraînant d'Artagnan dans la foulée. Ils traversèrent plusieurs corridors au pas de course et arrivèrent enfin dans les ateliers des joailliers de la cour.

—Regardez ces diamants, dit le duc, et dites-moi combien vaut chacun d'entre eux.

Le joaillier examina les bijoux attentivement et répondit:

—Quinze cents pistoles pièce, Milord.

—Et combien de jours vous faudrait-il pour tailler deux diamants identiques?

—Une semaine, au moins, Milord.

—Mais ce sera trop tard! Le bal est dans cinq jours, s'écria d'Artagnan.

—Je vous donnerai trois mille pistoles la pièce et je les aurai demain, dit le duc.

—Milord les aura.

Fidèle à sa parole, le joaillier apporta les deux ferrets le lendemain après-midi. Ils

“Dites-moi combien vaut chacun d’eux.”

étaient si parfaitement identiques aux autres que même Buckingham ne put reconnaître les nouveaux des anciens.

—J'ai fait ce qui était en mon pouvoir, dit le duc en confiant les diamants à d'Artagnan, le reste est entre vos mains. J'ai mis un bateau à votre disposition et des chevaux vous attendront à chaque relais dès votre arrivée. Peut-être nous rencontrerons-nous bientôt sur le champ de bataille, mais aujourd'hui nous nous quittons bons amis, d'Artagnan. Merci!

Douze diamants parfaitement assortis

D'Artagnan reçoit de bonnes nouvelles.

Chapitre 9

Le bal

D'Artagnan arriva à Paris le soir même du bal. Il passa d'abord à l'hôtel de Tréville pour demander des nouvelles.

—Vos amis sont de retour, dit Tréville, et se remettent de leurs blessures.

Puis d'Artagnan se rendit au Louvre pour rejoindre sa compagnie qui y était de garde et remettre un paquet très spécial à une grande dame.

Les invités arrivaient et remplissaient la grande salle de bal. Le Roi et le Cardinal se rendirent aux appartements de la Reine pour l'escorter au bal.

Quand la Reine apparut, Richelieu murmura quelques mots à l'oreille du Roi. Louis regarda le cou de sa femme, dépourvu de bijoux, et demanda d'une voix menaçante:

—Madame, pourquoi ne portez-vous pas votre parure de ferrets de diamants?

La Reine aperçut le sourire moqueur qui passa sur le visage du Cardinal et répondit à son mari, d'une voix douce et résignée:

—Sire, dans cette grande foule, j'ai craint de les perdre.

—Eh bien, vous avez eu tort, Madame, et je suis fort mécontent.

—Sire, donnez-moi un moment, je vais aller les mettre.

—Très bien, Madame. Nous vous attendrons dans la salle de bal.

La Reine s'inclina et regagna ses appartements suivie de ses dames.

Comme ils descendaient lentement les marches du grand escalier, le Cardinal plaça

Pas de diamants!

un petit coffret dans les mains du Roi. Le Roi l'ouvrit et y trouva deux ferrets.

—Que signifie ceci? demanda-t-il.

—Rien, répliqua le Cardinal. Si la Reine porte ses ferrets, ce dont je doute, comptez-les Sire. Et s'il n'y en a que dix, demandez-lui donc où sont les deux qui lui manquent et que vous tenez maintenant entre vos mains.

Avant même que le Roi puisse répondre, un cri d'admiration jaillit de la foule. Tous les yeux étaient fixés sur la femme d'une beauté éblouissante qui se tenait en haut des escaliers: la Reine de France!

Quand elle descendit les escaliers d'une manière pleine de grâce et de majesté, deux paires d'yeux s'attachèrent à compter les diamants qu'elle portait autour du cou. Le Roi regardait avec joie, le Cardinal avec la plus grande contrariété. Mais elle était encore trop loin pour qu'aucun des deux puissent compter les ferrets.

Quand enfin elle fut près d'eux, le Roi prit

Richelieu tend un piège.

sa main, la porta à ses lèvres et lui dit:

—Madame, je vous remercie d'avoir accédé à mes désirs. Mais je crois qu'il vous manque deux ferrets, dit-il en lui donnant le coffret.

—Comment, Sire! s'écria la Reine, feignant la surprise. Deux de plus! C'est trop!

Le Roi compta les diamants qui ornaient le cou de sa femme. Il y en avait douze.

—Que signifie cela, Monsieur le Cardinal?

—Cela signifie, Sire, que je désirais offrir ces deux ferrets à Sa Majesté, mais que, n'osant pas le faire moi-même, j'ai choisi ce moyen pour qu'elle les accepte.

Le sourire de la Reine lui montra qu'elle n'était pas dupe.

—Grand merci à Votre Eminence, dit-elle d'une voix douce, et je suis sûre que ces deux ferrets vous coûtent à eux seuls autant que les douze que Sa Majesté m'a offerts.

Elle fit alors une gracieuse révérence et descendit rejoindre ses invités. En se frayant un chemin parmi la foule, elle s'arrêta en face

La Reine a maintenant quatorze ferrets.

d'un jeune cadet de garde dans la salle. Elle sourit et lui offrit sa main. Le cadet tomba à genoux et porta respectueusement la main royale à ses lèvres. Quand la Reine retira sa main, une bague se trouvait dans la main du jeune homme. Et c'est ainsi que d'Artagnan fut récompensé pour avoir sauvé l'honneur de la Reine.

Deux invités observèrent avec le plus grand intérêt le manège de la Reine et de d'Artagnan. C'étaient, bien entendu, le Cardinal et Milady.

—Ainsi donc, le jeune Gascon est arrivé à temps, dit Milady. Que pensez-vous faire de lui? Allez-vous vous venger?

—Me venger? dit le Cardinal, certainement pas! J'ai besoin d'hommes braves à mes côtés. Je vais voir ce que je peux faire pour me l'attacher.

—Votre Eminence perd avec la plus grande élégance, mais je ne peux en faire autant. A cause de lui et de cette femme qu'il aime, j'ai

La récompense de d’Artagnan

échoué dans ma mission. Je me vengerai de l'un et de l'autre.

—Cette femme? Ah oui, Madame Bonacieux, dit le Cardinal, il faut l'arrêter. Je ne peux pas permettre qu'elle continue ses manigances entre la Reine et le duc. Envoyez-moi Rochefort immédiatement.

Milady sourit. Elle aurait sa revanche, après tout.

Rochefort était à peine remis des blessures reçues à Calais. Mais quand le Cardinal lui donna l'ordre d'emprisonner Madame Bonacieux, lui aussi le vit comme un moyen de se venger de d'Artagnan.

Ah oui! le Gascon paierait cher toutes ces insultes.

Plans de vengeance

D'Artagnan aperçoit une attaque.

Chapitre 10

Milady de Winter

D'Artagnan resta de garde jusqu'à la fin du bal. Quand sa compagnie fut enfin relevée, il courut au rendez-vous que Constance lui avait donné quand il lui avait remis les diamants.

Dans une des rues, il remarqua un carrosse à quelques pas de lui. Une belle jeune femme blonde était penchée à la portière, se débattant pour résister à l'attaque d'un homme qui semblait vouloir la tirer de force de la voiture.

—Misérable! cria d'Artagnan, tirant son épée tout en courant vers le carrosse. La dame jeta un coup d'œil sur le jeune cadet, puis murmura à son assaillant:

—Vite, disparais, tu as bien joué ton rôle!

L'homme sauta du marchepied et disparut dans une petite rue sombre. D'Artagnan le poursuivit, mais en vain, l'homme avait disparu. Hors d'haleine, il revint vers le carrosse.

—Madame, êtes-vous blessée? demanda-t-il appréciant d'un regard admiratif l'exquise beauté de la dame.

—Non, Monsieur, dit Milady de Winter, mais je vous suis reconnaissante d'être venu à mon secours. Comment puis-je vous remercier?

—Ma récompense est de vous savoir saine et sauve, dit d'Artagnan, qui ne pouvait détacher ses yeux du visage de la dame.

—Alors il faut venir me voir, demain sans faute! Tenez, voici mon nom et mon adresse.

D'Artagnan prit le papier d'une main que l'émotion faisait trembler.

—Merci Milady, dit-il en bégayant, votre invitation est un honneur pour moi.

Sur ce, le cocher fouetta son équipage et le

D’Artagnan admire la beauté de Milady.

carrosse disparut dans l'obscurité.

Pensant tout haut, Milady murmura:

—Ceci va être un jeu d'enfant.

—Je suis le plus heureux des hommes! s'exclama d'Artagnan, poursuivant son chemin au pas de course. Me voilà amoureux une deuxième fois!

Quand il arriva à l'appartement, Constance n'était pas là. D'Artagnan attendit pendant des heures arpentant les lieux de long en large, et vit le soleil se lever sur Paris. Quand enfin il n'y tint plus, il décida d'en parler à Athos, qui devait sûrement avoir une grande expérience des femmes.

—Ne fais jamais confiance à une femme—aucune femme! fut la réponse d'Athos quand d'Artagnan lui raconta le rendez-vous manqué avec Constance.

—Mais elle semblait m'aimer de tout son cœur! Et je l'aime. Comment a-t-elle pu se servir de moi et m'abandonner de la sorte? Athos, avez-vous jamais été amoureux?

En attendant Constance

—Amoureux! Pouah! cria Athos. Je vais vous dire ce que l'amour a fait endurer à l'un de mes amis, pas moi, bien sûr. C'était un noble seigneur, un comte de ma province, un gentilhomme qui avait fortune et prestance et pouvait prétendre au plus glorieux des mariages.

Mais il tomba amoureux d'une jeune fille, la plus belle et la plus blonde qu'il eut jamais vue. Mon ami ne savait rien d'elle, sinon qu'elle était venue s'installer dans sa province avec son frère, un prêtre. Mon ami était un homme honorable et il choisit d'en faire sa femme.

Il lui donna son nom, sa fortune et son amour. Mais c'était un fou et un imbécile!

—Mais pourquoi, s'il l'aimait tant?

—Parce que, peu de temps après leur mariage, il découvrit l'horrible secret qu'elle cachait. Un jour qu'ils se promenaient à cheval, elle tomba de sa monture. La manche de sa robe se déchira et découvrit son épaule.

"L'amour, Pouah!"

C'est alors qu'il vit la marque d'infamie, la *fleur de lis* que le bourreau imprime au fer rouge sur l'épaule de celui qui a volé les trésors sacrés d'une église.

—Que fit le comte?

—La seule chose que son honneur commandait. Il la pendit à un arbre!

Athos enfouit son visage dans ses mains et éclata en sanglots.

—Ceci m'a guéri à tout jamais des femmes belles, blondes et aimantes, ajouta-t-il, oubliant cette fois de parler "du comte"!

—Est-elle morte? demanda d'Artagnan.

—Je le crois, dit Athos en débouchant une bouteille de vin. Il remplit leurs verres.

—Et son frère, le prêtre?

—Je me mis à sa recherche le lendemain, mais il avait disparu, dit Athos en soupirant.

Les deux amis s'attaquèrent alors à la bouteille de vin qui fut bientôt vidée. Le soir approchait et d'Artagnan se souvint de l'invitation de Milady de Winter. Il raconta à Athos

La marque de la *fleur de-lis!*

leur rencontre de la nuit précédente, ce qui ne manqua pas de surprendre Athos.

—Mais n'est-ce pas l'espionne du Cardinal?

—C'est vrai, répondit d'Artagnan, et pourtant je ressens pour elle une attirance insurmontable.

—Allons d'Artagnan! Vous venez de me raconter que vous avez perdu la femme que vous aimez et vous voilà maintenant lancé à la poursuite de cette Milady de Winter sans la moindre pensée pour votre chère Constance! Allons! Amusez-vous bien, mon ami, mais gare aux pièges! Soyez à tous moments sur vos gardes!

Ainsi commencèrent les visites de d'Artagnan à la belle Milady de Winter. Chaque jour il allait la voir et sa passion pour elle grandissait à chaque visite. Ses soupçons disparurent peu à peu.

Un mois passa. D'Artagnan arriva un jour pour sa visite quotidienne et eut la surprise d'entendre que Milady n'était pas chez elle. Sa

Les conseils d'Athos sur les femmes

femme de chambre, une jolie fille appelée Ketty, le fit quand même entrer.

—Monsieur, je dois vous parler confidentiellement.

—Bien sûr, Ketty! De quoi s'agit-il?

—Vous aimez beaucoup ma maîtresse, n'est-ce pas, Monsieur d'Artagnan? interrogea-t-elle timidement.

—Oh! Plus que je ne peux le dire!

—C'est bien dommage, monsieur, car ma maîtresse ne vous aime pas du tout.

Cette remarque choqua profondément le jeune homme!

—Pourquoi me dis-tu cela?

—Parce que, Monsieur, en amour c'est chacun pour soi! répondit-elle avec hardiesse.

D'Artagnan se souvint alors des œillades amoureuses que Ketty lui lançait chaque fois qu'il arrivait dans la maison. Si Ketty disait la vérité au sujet de Milady, elle pouvait lui être d'une grande utilité. Il allait prendre la soubrette dans ses bras quand ils entendirent

Ketty fait entrer d'Artagnan.

la porte d'entrée claquer.

—Juste ciel, dit Ketty, ma maîtresse est de retour! Partez, vite, je vous en prie!

D'Artagnan ramassa son chapeau comme pour quitter la maison, mais il se cacha dans le placard de la servante.

—Je viens, Milady! entendit-il. Les deux femmes passèrent dans la chambre de Milady, mais la porte resta ouverte, et leur conversation lui parvint très clairement.

—Ketty, est-ce que mon jeune Gascon est venu faire sa visite ce soir?

—Non, Madame, dit Ketty, croyez-vous qu'il ait trouvé une autre amourette?

—Certainement pas, ma petite, dit Milady, il est bien trop amoureux de moi!

—Mais je croyais que Milady était amoureuse de lui?

—Amoureuse de lui? Je le hais! C'est un imbécile qui m'a discréditée aux yeux du Cardinal. Mais je me vengerai!

D'Artagnan fut horrifié d'entendre la femme

D'Artagnan se cache dans le placard.

qu'il aimait parler ainsi de lui.

—Cela fait des semaines que je prépare ma vengeance, continua Milady.

—Mais Madame s'est déjà vengée de lui sur cette femme qu'il aimait, dit Ketty.

—Oh! Cette Bonacieux! Il a déjà oublié qu'elle existait. J'ai fait le nécessaire pour cela. Avec l'aide du comte de Rochefort, je lui ai réglé son compte!

Une sueur froide monta au front de d'Artagnan.

Cette femme était un monstre! Qu'avait-elle fait de Constance?

Il jaillit du placard et se précipita dans la chambre.

—Vous m'avez trahi, misérable que vous êtes! cria-t-il.

Milady pâlit et recula à son approche. De sa robe, elle tira un poignard et la face tordue de rage, bondit comme une tigresse sur d'Artagnan. Il tordit son poignet et arracha le poignard de sa main crispée. Elle tomba à

Milady a des plans de revanche.

genoux et d'Artagnan la saisit à la gorge.

—Où est Constance Bonacieux? Dites-moi où elle se trouve, ou je vous étrangle jusqu'à ce que mort s'ensuive.

Milady saisit une broche épinglée sur sa robe et tira violemment jusqu'à ce qu'elle l'arrache du tissu. Elle visa le visage de d'Artagnan et réussit à enfoncer la pointe sous un des yeux.

La douleur força d'Artagnan à relâcher pour un instant sa prise et il lui arracha la broche des mains. Mais elle mit cet instant à profit pour échapper à l'étreinte mortelle et courut chercher une autre dague.

De nouveau, elle chargea comme une furie et d'Artagnan tira son épée du fourreau, essayant de fuir. Elle plongea sur lui, la dague en avant, et l'épée de d'Artagnan accrocha la manche de sa robe qui se déchira révélant son épaule. Avec un saisissement inexprimable, d'Artagnan vit que cette belle épaule blanche portait la *fleur de lis*, la marque infamante du

“Où est Constance Bonacieux?”

bourreau.

—Grand Dieu! s'écria d'Artagnan.

—Misérable! Tu as mon secret! Tu mourras!

Quand elle brandit la dague au-dessus de son cœur, d'Artagnan reprit ses esprits. Faisant demi-tour, il s'enfuit, fermant la porte au verrou derrière lui.

Il dévala les escaliers et se retrouva dans la rue, poursuivi par les cris de Milady.

Il ne s'arrêta de courir que lorsqu'il atteignit la porte d'Athos.

—Quelque chose d'épouvantable vient de m'arriver, dit-il hors d'haleine.

—Est-ce que cela a un rapport quelconque avec la broche que vous serrez dans votre main? demanda Athos.

D'Artagnan abaissa son regard et vit qu'il tenait toujours la broche dans sa main.

—Montrez-la moi, dit Athos. Il tourna la broche entre ses doigts et l'examina attentivement. Soudain, son visage prit une pâleur mortelle.

“Tu as mon secret!”

—Il est difficile de croire qu'il existe au monde une autre broche identique à celle-ci, murmura-t-il.

—Vous la reconnaissez? demanda d'Artagnan.

—Oui! C'est un bijou de famille que j'ai offert à ma femme! Mais dites-moi, d'où tenez-vous cette broche?

D'Artagnan raconta la scène dans l'appartement de Milady et sa découverte de la *fleur de lis.* Athos pâlit encore et poussa un gémissement. Il baissa la tête et la plongea dans ses mains.

—Cette femme est blonde, n'est-ce pas?

—Oui.

—Et les yeux sont du bleu le plus céleste?

—Oui.

—Elle est grande et bien faite?

—Oui.

—Et la *fleur de lis* est petite et rosée de couleur?

—Oui.

La broche de Milady

—Mais vous dites qu'elle est Anglaise?

—On l'appelle Milady, un titre anglais, mais elle pourrait être française. Elle parle parfaitement notre langue, sans l'ombre d'un accent étranger.

—Alors le pire de mes cauchemars est devenu réalité, s'écria Athos. Oh! Dieu, j'avais espéré qu'elle était morte!

—Vous voulez dire, cette femme dans votre province, celle qui était marquée?

—Oui, d'Artagnan. Cette femme et Milady de Winter sont une seule et même personne. C'est donc ma... ma femme! Et maintenant que vous connaissez son secret, elle ne vous permettra pas de vivre. Il faut quitter la France. Il faut fuir, immédiatement!

—Mais vous, Athos?

—Je suis en sécurité. Elle ne sait pas qu'Athos existe. Elle ne sait pas que le comte de La Fère est devenu le mousquetaire Athos. Mais elle vous connaît et elle vous poursuivra impitoyablement.

La terrible découverte d'Athos

—Ma compagnie part demain pour La Rochelle pour combattre les Huguenots. Cela devrait mettre assez de distance entre elle et moi pour un temps.

—Vous ne serez jamais assez loin de cette femme. Mon ami, croyez-moi! Ecoutez mon conseil!

“Vous ne serez jamais assez loin!”

La Rochelle

Chapitre 11

Plans de vengeance

Longtemps, les catholiques et les protestants français cohabitèrent en paix. Les Huguenots tenaient quelques places fortes et se gouvernaient eux-mêmes sans interférence de Sa Majesté catholique dans leurs affaires.

Puis Richelieu décida d'unifier le royaume sous la bannière catholique et ses armées conquirent rapidement toutes les villes huguenotes, toutes, sauf La Rochelle. Le siège de La Rochelle durait depuis quinze mois quand le Cardinal et le Roi arrivèrent avec leurs gardes et leurs mousquetaires.

Un soir que les mousquetaires étaient de relâche, Athos, Porthos, et Aramis obtinrent un laissez-passer pour sortir du camp. D'Artagnan et sa compagnie de gardes étant de service il ne put les accompagner.

Après quelques heures passées à boire à l'auberge de la Colombe Rouge, les trois mousquetaires reprirent le chemin du camp. Ils aperçurent sur la route deux cavaliers qui avançaient à leur rencontre.

—Qui vive? cria Athos d'une voix ferme.

—Qui vive vous-même? répondit un des cavaliers d'une voix encore plus ferme qui dénotait l'habitude du commandement.

Athos comprit qu'il avait sans doute affaire à des officiers de la ronde de nuit et répondit: "Mousquetaires du Roi".

Les cavaliers s'arrêtèrent à quelques pas. De longs manteaux dissimulaient leurs visages. La même voix au ton autoritaire demanda: "Vos noms, Messieurs?"

Le ton commençait à irriter Athos.

Les mousquetaires rencontrent deux cavaliers.

—Qui êtes-vous, Monsieur, et de quel droit nous posez-vous ces questions?

L'officier laissa tomber le pan de son manteau et son visage apparut.

—Le Cardinal! s'écria Athos.

—Ah! Je vois maintenant qui vous êtes, dit Richelieu. N'êtes-vous point Messieurs Athos, Porthos et Aramis? Je sais que vous n'êtes pas particulièrement de mes amis, mais vous êtes des hommes courageux, et je vais vous demander de m'escorter jusqu'à l'auberge de la Colombe Rouge.

—C'est un honneur, Votre Eminence, dit Athos. D'ailleurs nous avons rencontré de louches individus et même eu une querelle avec l'un d'entre eux à l'auberge.

—Une querelle? dit le Cardinal. Vous savez bien que je ne les approuve pas.

—Mais, Votre Eminence, l'homme était ivre et essayait de forcer la porte d'une dame.

—Cette femme était-elle blonde, jeune et jolie? demanda le Cardinal avec une certaine

Le Cardinal!

anxiété dans la voix.

—Nous ne l'avons pas vue, répondit Athos.

—Ah! Vous ne l'avez pas vue, dit le Cardinal avec ce qui sembla un soupir de soulagement. Enfin! Vous avez bien fait de la défendre. En route, maintenant!

Quand ils arrivèrent à l'auberge, le patron se précipita au-dehors et s'inclina devant le Cardinal. Richelieu demanda:

—Avez-vous une pièce au rez-de-chaussée où mes compagnons peuvent se réchauffer en m'attendant?

L'aubergiste acquiesça et conduisit les mousquetaires dans une grande chambre, tandis que le Cardinal montait les escaliers comme s'il était un familier de l'endroit.

Porthos et Aramis s'installèrent devant le feu et entamèrent un jeu de dés. Athos, quant à lui, marchait de long en large, se demandant qui le Cardinal était venu rencontrer dans cette auberge.

Passant devant un tuyau de poêle qui tra-

En attendant le Cardinal

versait le plafond et arrivait sans doute dans la pièce du dessus, il entendit un murmure de voix, et il fit signe à ses deux camarades de garder le silence. Il entendit la voix du Cardinal:

—Ecoutez-moi, Milady! Voici mes ordres. Vous partirez ce soir pour l'Angleterre et vous y rencontrerez Buckingham.

—Mais je doute que le duc me reçoive après l'affaire des ferrets, dit une voix féminine qui fit tressaillir Athos.

—Aussi cette fois, je ne vous envoie pas pour essayer de gagner sa confiance. Vous lui transmettrez simplement ce message: s'il expédie une armée anglaise au secours des Huguenots, ce sera non seulement la guerre avec la France, mais aussi la ruine de la Reine.

—Et s'il ne me croit pas?

—Assurez-le que j'ai toutes les preuves.

—Et s'il persiste dans ses projets?

—Alors, il faudrait que le duc ait . . . un accident!

Athos entend des voix au premier étage.

—Je ferai le nécessaire pour que cet accident arrive. Je pourrai alors m'occuper de mes propres ennemis. Tout d'abord, cette Madame Bonacieux...

—Mais elle est en prison à Nantes!

—Plus maintenant, Votre Eminence. La Reine a découvert où elle se trouvait, l'a fait enlever et elle est maintenant en sûreté dans un couvent.

—Quel couvent?

—C'est encore un secret, dit Milady.

—Ah! Je trouverai le nom de ce couvent et vous le ferai savoir.

—Bon! Et maintenant, mon autre ennemi, continua Milady, l'homme qui a fait échouer l'affaire des ferrets de la Reine, l'homme qui a grièvement blessé Rochefort, l'homme enfin qui a essayé de me tuer quand il a su que c'était moi qui avait enlevé Madame Bonacieux.

—Vous parlez de d'Artagnan, sans doute, je peux facilement l'envoyer à la Bastille.

Richelieu donne ses instructions à Milady.

—Votre Eminence, c'est un échange équitable: la vie de Buckingham contre la vie de d'Artagnan! Mais je vous prie de me donner un papier signé de votre main qui m'autorise à agir comme je penserai devoir le faire . . . pour le bien de la France, bien sûr.

Athos abandonna son poste d'écoute et entraîna Porthos et Aramis à l'autre extrémité de la pièce.

—Il faut que je sorte, dit-il.

—Que tu sortes? Mais que dirons-nous au Cardinal? demanda Porthos.

—Dites-lui que je suis parti en éclaireur pour m'assurer que la route est sûre. De retour au camp, restez coûte que coûte aux côtés de d'Artagnan. Ne le laissez pas seul, sous aucun prétexte.

Athos sortit de l'auberge et partit au galop en direction de La Rochelle.

Quelques minutes plus tard, Richelieu descendit prêt à retourner au camp. Porthos rendit compte de l'absence d'Athos mais assura le

Richelieu écrit la lettre.

Cardinal que lui et Aramis l'escorteraient jusqu'à La Rochelle.

Pendant ce temps, Athos, qui à peine hors de vue de l'auberge avait arrêté son cheval, se tenait caché derrière un rocher. Il attendit patiemment de voir passer le Cardinal escorté de ses amis puis fit demi-tour et revint au galop à l'auberge.

Il expliqua à l'hôte que le Cardinal avait oublié de faire à la dame une recommandation importante et qu'il avait un message pour elle.

—Montez, dit l'aubergiste, elle est encore dans sa chambre.

Athos grimpa les escaliers légèrement.

Il entra dans la chambre et ferma doucement la porte derrière lui. Au bruit du verrou, Milady se retourna.

—Qui êtes-vous? Comment osez-vous entrer dans ma chambre?

Laissant tomber le pan de manteau qui dissimulait son visage, il demanda:

—Me reconnaissez-vous, Madame?

Athos voit passer le Cardinal.

Le souffle coupé, Milady murmura, pâlissant comme devant une apparition:

—Le comte de La Fère!

—Oui, Milady, le comte de La Fère, que vous croyiez mort, sans doute, comme je vous croyais morte.

Milady poussa un gémissement, dont Athos ne tint pas compte et il poursuivit:

—Le comte de La Fère caché depuis des années sous le nom de guerre d'Athos, tout comme Charlotte de Breuil se cache sous le nom de Milady de Winter. Mais aucun nom ne peut dissimuler la *fleur de lis* qui marque votre corps d'infamie!

—Que voulez-vous ? dit Milady d'une voix sourde et terrifiée.

—Voici ce que j'ai à vous dire, Madame, répondit Athos d'un ton froid et inexorable. Ecoutez-moi bien. Faites ce que vous voulez du duc de Buckingham, peu m'importe! C'est un Anglais, c'est donc mon ennemi. Mais si vous touchez à un seul cheveu de d'Artagnan, je

Milady reconnaît le comte de La Fère.

vous jure par la noblesse de mes ancêtres que je vous tuerai de mes propres mains. Et cette fois, vous n'en réchapperez pas!

Athos leva lentement son pistolet, en plaça la pointe sur le front de Milady et dit:

—Et maintenant, Madame, donnez-moi ce papier que vous a signé le Cardinal. Vous avez cinq secondes: une, deux, trois . . .

Quand Milady vit le doigt d'Athos prêt à appuyer sur la gâchette, elle tira la lettre cachée dans sa robe.

—Tenez! dit-elle, mais de vous aussi, je me vengerai!

Athos déplia le papier et lut: "C'EST PAR MON ORDRE ET POUR LE BIEN DE L'ETAT QUE LE PORTEUR DE CETTE LETTRE A FAIT CE QU'IL A FAIT. 3 DECEMBRE 1627. RICHELIEU."

—Le Cardinal a cru habile de vous donner la permission de commettre un meurtre, mais un jour ce papier reviendra le hanter.

Sur ces mots, Athos ouvrit la porte et quit-

Athos demande la lettre.

ta la pièce sans même jeter un regard derrière lui. A la porte de l'auberge, il trouva les deux hommes qui devaient escorter Milady au port et leur rappela les ordres du Cardinal.

Les hommes inclinèrent la tête en signe d'assentiment et Athos, remonté à cheval, disparut dans la nuit.

Quand il atteignit le camp de La Rochelle, il trouva Porthos et Aramis avec d'Artagnan. Les mousquetaires le mirent au courant de ce qu'ils avaient appris des plans de Milady.

—Juste Ciel! s'exclama d'Artagnan, il faut prévenir la Reine et elle doit mettre le duc en garde. Nous ne pouvons laisser ce monstre accomplir ses projets meurtriers.

—Mais nous ne pouvons abandonner nos postes en pleine bataille, d'Artagnan! Même pour sauver la vie du duc, lui rappela Athos.

—C'est vrai, reconnut d'Artagnan, mais je peux envoyer mon fidèle Planchet.

Planchet fut convoqué et d'Artagnan lui remit un message scellé pour la Reine.

Athos part après avoir lu la lettre.

—Planchet, tu dois partir immédiatement pour Paris et, ensuite, porter le message de la Reine à Londres! Tu dois faire au plus vite! Et aussi, demande à la Reine où se trouve ma chère Constance.

—Et maintenant, mes amis, dit Porthos, buvons au succès de Planchet!

—Excellente idée! dit d'Artagnan, qui prit une bouteille de vin et versa à boire à ses compagnons. D'ailleurs je vous remercie pour l'envoi de cette caisse de vin. C'était bien aimable à vous de penser à votre camarade dans les tranchées pendant que vous étiez à l'auberge de la Colombe Rouge.

—Quel vin? Nous n'avons pas fait envoyer de vin, dit Athos.

—Mais ce mot de l'aubergiste dit qu'il me vient de vous trois.

—Qu'importe d'où vient le vin, dit Porthos en levant son verre. Buvons quand même!

—Non! s'écria d'Artagnan.

D'un geste brusque, il fit tomber le verre des

Versant à boire pour le succès de Planchet

mains de son ami et se précipita hors de la tente. Il trouva dehors, tordu sur le sol, un garde de sa compagnie qui étouffait dans d'horribles convulsions. Son corps se raidit brusquement. Il était mort pour avoir bu le vin que d'Artagnan lui avait offert.

—Du vin empoisonné de l'auberge de la Colombe Rouge dit Athos. Il est aisé de deviner qui l'a envoyé.

—Il faut empêcher ce monstre de commettre plus de meurtres. Elle n'aura de cesse que nous ne soyions tous morts!

D'Artagnan soupçonne le vin.

Milady arrive à l’hôtel de Buckingham.

Chapitre 12

Milady, la meurtrière

Deux jours plus tard, au moment même où Planchet arrivait aux portes de Paris, le carrosse de Milady s'arrêta au portail de l'hôtel de Buckingham. Le duc lui-même sortit pour la recevoir.

—Milord, je suis ici l'envoyée du Cardinal de Richelieu, dit-elle aussitôt.

—Ah! L'espionne du Cardinal nous revient. Il n'y a plus de diamants à voler, Madame.

—Je suis ici pour vous donner un avertissement solennel: si vous envoyez une armée de secours à La Rochelle, Sa Majesté la Reine est perdue. Son Eminence y veillera.

—Son Eminence apprendra que rien ne me fera changer d'avis. Mes navires partiront comme prévu pour La Rochelle.

—Vous regretterez ces paroles, Milord, s'écria Milady en tirant un petit pistolet de son sac.

Mais quatre gardes la saisirent, maintenant ses bras derrière son dos.

—Je dirai à Son Eminence que vous ne voulez pas changer d'avis, dit-elle.

—Vous ne direz rien à Son Eminence, dit le duc. Car vous serez ma prisonnière dans la Tour de Londres, un endroit presque aussi agréable que La Bastille.

—Vous n'oseriez pas!

—Non? Lieutenant Felton, avancez!

Un jeune officier fit un pas en avant et s'inclina devant le duc.

—John, regardez cette femme, dit Buckingham. Elle est jeune et belle, mais c'est un monstre. Je la confie à votre garde à la Tour

Tentative d'assassinat de Milady

car je connais votre dévouement à mon égard et je vous aime comme si vous étiez mon fils. Cette femme vient en Angleterre pour m'assassiner. Aussi, soyez sur vos gardes! Sans doute elle essaiera de vous tuer, vous aussi.

—Monseigneur, dit Felton, je réponds de sa garde sur mon honneur et sur ma vie.

John Felton ne pouvait savoir avec quelle habileté Milady se servait de l'honneur et de la vie des hommes pour arriver à ses propres fins qui étaient, maintenant, sa liberté et sa vengeance. Elle n'hésiterait pas à se servir du jeune geôlier.

Elle passa en prières le premier jour et la première nuit dans son cachot, à genoux, éclatant en sanglots bruyants chaque fois qu'elle entendait les pas de Felton. Il commença à respecter en elle ce qu'il crut être une personne aussi profondément religieuse que lui.

Puis elle refusa toute nourriture, suppliant son geôlier de la laisser mourir. Ou même, de lui donner un couteau pour qu'elle puisse

Milady met son plan en action.

mourir plus vite. Felton, peu à peu, se sentit envahi par la pitié.

Pour finir, quand elle fut sûre que le respect et la pitié de Felton s'étaient transformés en amour, elle se jeta à ses pieds en criant:

—Aidez-moi! Délivrez-moi de mon ennemi.

—Qui est votre ennemi? demanda-t-il, la relevant et la prenant dans ses bras.

—L'homme qui m'a enlevée à ma famille, qui m'a couverte de honte... celui que vous servez si fidèlement, dit-elle, avec un visage baigné de larmes.

—Oh, Milady! Je ne peux croire que vous parliez du duc de Buckingham!

—C'est lui! Par pitié, laissez-moi mourir de ma honte, dit-elle en sanglotant et en jetant ses bras au cou du jeune homme.

—Non, non! Vous ne mourrez pas! Vous vivrez et vous serez vengée. Je vous aiderai, je le jure, car je vous aime. Je pars maintenant pour organiser votre évasion, ma chère, chère amie.

“Aidez-moi!”

Quand Felton quitta le cachot et que la porte se fut refermée sur lui, Milady sourit: Felton lui appartenait!

Il revint deux heures plus tard et la conduisit secrètement jusqu'au bas des escaliers qui menaient derrière la prison, jusqu'à la rivière. Un petit bateau y était attaché et il montra à Milady un grand voilier ancré à l'embouchure de la rivière.

—C'est le navire qui vous ramènera en France, saine et sauve.

—Mais Buckingham? Je ne peux laisser ses crimes impunis! s'écria-t-elle.

—Buckingham se prépare à mettre la voile pour La Rochelle, dit Felton.

—Il ne doit pas quitter l'Angleterre!

—Ne vous inquiétez pas, mon ange, murmura Felton, il ne partira pas.

Milady eut un sourire victorieux. Dans les yeux du jeune homme elle lut comme dans un livre la mort de Buckingham.

Felton aida Milady à monter à bord, et il

Retour en France

promit d'être de retour à dix heures pour partir en France avec elle. Il avait trois heures pour venger cette femme d'une beauté exquise qui lui avait juré son amour.

Il se dirigea vers le port, se frayant un passage parmi les troupes de soldats et la foule des gens venus les accompagner. Il serra dans sa main le couteau caché dans son pourpoint.

A ce moment, il fut bousculé par un jeune homme assez rondouillard qui portait la livrée d'un laquais français.

—Pardon, Monsieur, dit l'homme en français, mais Felton ne prit pas le temps de répondre aux excuses de Planchet. Il serra un peu plus fort le couteau caché contre sa poitrine.

Les deux hommes semblaient marcher du même pas pressé vers le navire de Buckingham. Felton aperçut le duc de loin montrant fièrement sa flotte aux ministres.

Planchet le vit aussi et courut vers lui.

Soudain, Felton jaillit du groupe des visi-

La mission meurtrière de Felton

teurs, sauta sur le duc et plongea le couteau dans son cœur en criant: “Milady, vous êtes vengée!”

Alors que des gardes cernaient Felton et le clouaient au sol, Planchet s’arrêta et fixa la scène d’un regard horrifié. Il arrivait une minute trop tard. Le duc de Buckingham était mort, assassiné!

Un rugissement monta de la foule quand elle vit Felton.

Une horloge quelque part sonna huit heures et Felton, tournant son regard vers le port vit un grand voilier qui mettait à la voile en direction de la France. La femme pour qui il venait de sacrifier sa vie n’avait pas attendu!

Milady est vengée!

Rochefort arrive à l'auberge.

Chapitre 13

Meurtre après meurtre

Dès que Milady atteignit la côte de France, elle envoya un message à Richelieu qui disait: "J'AI REUSSI. BUCKINGHAM NE QUITTERA PLUS JAMAIS L'ANGLETERRE. J'ATTENDS VOS INSTRUCTIONS.
MILADY."

Le jour suivant, un carrosse s'arrêta devant l'auberge où Milady avait passé la nuit. Un gentilhomme brun en sortit qui fut conduit jusqu'à la chambre de Milady. Le comte de Rochefort dit:

—Votre message est arrivé à La Rochelle il

y a quelques heures. Son Eminence est on ne peut plus satisfaite de votre succès.

—Bien, dit Milady, dans ce cas, maintenant que les affaires du Cardinal sont réglées, je vais pouvoir m'occuper des miennes. Son Eminence a-t-elle découvert où se trouve Madame Bonacieux?

—Bien entendu. Son Eminence apprend toujours ce qu'elle cherche à savoir. Elle est au couvent de Béthune.

—Il faut donc nous rendre immédiatement à Béthune, dit Milady.

Ils descendirent ensemble et montèrent dans le carrosse de Rochefort. Le comte donna l'ordre au cocher de se rendre au couvent de Béthune et ils partirent.

Ni le comte ni Milady aperçurent le jeune homme rondouillard qui, débarquant du navire qui venait d'arriver d'Angleterre, se dirigeait vers l'auberge. Ils ne devinèrent pas davantage que Planchet les avait reconnus et avait entendu la destination donnée par

Planchet entend quelle est leur destination.

Rochefort au cocher.

—Béthune! murmura-t-il. C'est la ville où la Reine a fait cacher Madame Bonacieux. Il faut que je prévienne mon maître.

Planchet loua un cheval de poste et partit à bride abattue pour La Rochelle. En moins de deux heures il arriva et entra, pantelant, dans la tente de d'Artagnan.

—Planchet! Quelle joie de te revoir! s'écria d'Artagnan. Tu arrives au moment de notre victoire. La Rochelle est tombée! Mais quelles nouvelles nous apportes-tu?

—Je crains, Monsieur, que tout ne soit perdu! Le duc a été assassiné.

—Assassiné! Mon Dieu! Encore un coup de ce monstre! Mais ce qui est fait est fait. Quelles nouvelles as-tu de ma Constance?

—Elle est au couvent de Béthune, Monsieur, mais d'autres sont déjà en route pour l'y trouver.

—D'autres? Quels autres?

—Milady et Rochefort, dit Planchet qui

Planchet galope pour prévenir d'Artagnan.

raconta à son maître ce qu'il avait entendu.

—Oh non! s'écria d'Artagnan. Mes deux ennemis les plus mortels sont en route pour assassiner l'amour de ma vie!

Je dois partir pour Béthune immédiatement. Vite, Planchet, demande à Athos, Porthos et Aramis de me rejoindre pendant que je vais obtenir notre congé.

Pendant ce temps le carrosse qui transportait Milady et Rochefort entrait dans la cour du couvent de Béthune.

—Attendez-moi ici, dit Milady, cette vengeance m'appartient à moi seule!

Milady sortit du carrosse et se présenta à la Mère Supérieure à la porte du couvent.

—Je suis ici sur les ordres de Son Eminence le Cardinal, dit-elle.

—Entrez, mon enfant, que pouvons-nous faire pour vous? répondit la religieuse.

—J'ai un message de Son Eminence pour Madame Bonacieux, dit Milady.

—Oh! Notre pauvre Constance a tant souf-

Milady ment pour pouvoir entrer.

fert de la solitude tous ces mois durant! Comme elle sera heureuse de vous voir. Sa chambre est juste au haut de ces escaliers. Vous la trouverez dans ses prières.

Milady prit l'escalier et frappa à la porte. Une douce voix répondit: “ Entrez!”

—Ah, Madame Bonacieux, je vous aurais reconnue n'importe où. Après tout ce qu'il m'a dit de vous, dit Milady de sa voix la plus mélodieuse.

—Qui vous a parlé de moi? dit Constance.

—Mais lui, bien sûr, d'Artagnan!

—D'Artagnan! Vous l'avez vu?

—Mais bien sûr, ma chère enfant. Il est en ce moment même en route pour vous rejoindre. Il m'a demandé de le précéder et de vous aider à préparer votre départ.

—D'Artagnan vient me chercher?

—J'ai quelques heures d'avance sur lui et nous avons tout le temps de dîner et de bavarder.

Peu après, le dîner leur fut servi dans la

Milady apporte des nouvelles de d'Artagnan.

chambre. Une extrême agitation avait coupé l'appétit de Constance mais Milady insista pour qu'elle prenne des forces avant le long voyage de retour vers Paris. Constance se laissa convaincre et prit l'assiette de poulet et le verre de vin que Milady avait préparés. En remplissant le verre de Constance, Milady avait ouvert le chaton d'une bague qu'elle portait et versé la poudre rougeâtre qu'il contenait dans le vin.

—Allons! Allons! Faites comme moi! dit Milady.

Constance, animée et joyeuse maintenant, vida son verre comme Milady. A ce moment, elles entendirent le bruit d'une cavalcade à l'extérieur du couvent.

Constance se leva pour aller à la fenêtre, mais les jambes lui manquèrent et elle tomba à genoux, pâle comme la cire. Milady, regardant par la fenêtre, reconnut les chapeaux à plume et les casaques des mousquetaires. Elle s'échappa de la pièce.

Une poudre rougeâtre dans le vin

—Attendez-moi, dit Constance dans un souffle, essayant de se traîner vers la porte.

Mais elle ne put faire que quelques pas avant de s'effondrer sur le sol, sans entendre son nom qu'une voix sonore prononçait et le bruit des bottes au-dehors.

D'Artagnan se précipita dans la chambre suivi de ses amis. Il s'agenouilla et souleva dans ses bras la femme qu'il aimait. Il couvrit son visage de baisers, mais les lèvres froides ne pouvaient les lui rendre.

Porthos appela au secours. Aramis voulut donner de l'eau à la jeune femme. Mais la vue d'Athos l'arrêta dans son élan. Le mousquetaire tenait un verre vide dans sa main et le regardait avec une profonde horreur.

—Ah! Mon Dieu! Comment avez-vous pu permettre un tel crime!

Il avança alors lentement vers d'Artagnan qui tenait toujours serré contre lui le pauvre corps sans vie. Athos le releva avec douceur et d'Artagnan, le visage enfoui dans la poitrine

Un autre meurtre!

de son ami, éclata en sanglots.

—Mon ami, dit Athos d'une voix grave, sois un homme! Les femmes pleurent les morts; les hommes les vengent!

A ces mots, d'Artagnan se redressa et s'écria:

—Allons! D'abord Rochefort, puis Milady!

—Non, dit Athos, je m'occuperai d'elle moi-même. Cette vengeance est la mienne! C'est le moins qu'un mari doive à sa femme.

Porthos et Aramis regardèrent Athos avec surprise. Sa femme? Mais d'Artagnan inclina la tête en signe d'assentiment, reconnaissant que cette vengeance était vraiment celle d'Athos.

D'Artagnan courut dans la cour et traîna Rochefort hors du carrosse.

—Assassin! Tu vas maintenant payer pour tes crimes, hurla-t-il.

Alors commença le duel le plus féroce. De la cour à la chapelle, dans les escaliers, les couloirs et les salles, les deux hommes se bat-

"Assassin!"

tirent comme des lions.

Dix, vingt trente minutes . . . C'est alors que l'épée de Rochefort brisa celle de d'Artagnan en deux. Mais cela ne put arrêter le Gascon en proie à une fureur meurtrière. Avec le tronçon d'épée dans la main il se précipita sur son ennemi mortel et le fer traversa la poitrine de Rochefort de part en part.

Les deux hommes tombèrent, Rochefort mort, d'Artagnan reprenant son souffle.

Milady, qui avait observé le duel cachée dans une encoignure de porte, guettant le moment propice pour s'échapper sans être vue, se précipita vers le carrosse. Elle était sur le point de monter à l'intérieur quand elle sentit un pistolet pressé contre sa nuque.

—Vous n'aurez pas besoin de carrosse pour votre prochain voyage, Milady, dit Athos d'une voix inflexible. Je vous ai prévenue, n'est-ce pas?

Milady n'aura plus besoin de carrosse.

Athos revient avec l'homme au masque noir.

Chapitre 14

L’exécution

Athos enferma Milady, pieds et poings liés dans le carrosse.

A ses trois amis il dit:

—Gardez-la bien! Elle ne doit pas nous échapper cette fois. J’ai des préparatifs à faire qui me prendront deux heures. Les trois hommes regardèrent Athos sans comprendre, mais pas un n’osa lui poser de question.

Fidèle à sa parole, Athos revint deux heures plus tard, accompagné d’un homme de grande taille enveloppé dans un manteau rouge. Un masque noir recouvrait son visage.

Athos fit signe à ses amis de le suivre. Ils allèrent en silence jusqu'à ce qu'ils atteignissent le bord d'une rivière. Là, ils s'arrêtèrent et descendirent de cheval.

L'homme masqué alla au carrosse et en tira Milady qu'il traîna jusqu'au bord de la rivière où les autres attendaient.

—Que me voulez-vous? cria-t-elle.

—Nous sommes ici pour juger vos crimes, Madame, dit Athos de sa voix froide et inexpressive. D'Artagnan, parle le premier.

D'Artagnan s'avança d'un pas et dit:

—J'accuse cette femme d'avoir empoisonné Constance Bonacieux et d'avoir tenté de m'empoisonner. Dieu m'a épargné, mais un autre homme, un brave garde du Roi est mort à ma place.

Puis ce fut au tour de Porthos.

—J'accuse cette femme d'avoir provoqué l'assassinat du duc de Buckingham.

Vint ensuite Aramis.

—J'accuse cette femme de la mort de John

Milady est mise en accusation.

Felton qui a été pendu à cause d'elle.

—C'est maintenant mon tour, dit Athos. J'ai épousé cette femme contre les vœux de ma famille. Je lui ai donné mon nom, mon amour et ma fortune. Et puis j'ai découvert qu'elle était marquée au fer.

—Vous ne pouvez prouver mon crime. Vous ne trouverez jamais l'homme qui m'a marquée, cria Milady.

—Silence! C'est mon tour maintenant, dit une autre voix.

—Qui êtes-vous? s'écria Milady et tous les yeux se tournèrent vers l'homme masqué.

L'homme se plaça en face de Milady et lentement, retira son masque.

Milady examina ce visage pâle, ces yeux froids, et soudain poussa un cri de terreur indicible.

—Non! Non! Non! Le bourreau de Lille! L'homme qui m'a marquée au fer!

Athos était aussi étonné que ses amis.

De cet homme qu'il avait engagé, il savait

“Le bourreau de Lille!”

seulement qu'il était le bourreau de cette province mais n'avait jamais pensé que celui-ci connaissait déjà Milady.

—Oui, je suis le bourreau de Lille, et voici mon histoire: cette femme fut autrefois novice dans un couvent. Le jeune prêtre qui desservait l'église fut ensorcelé par sa beauté et son charme. Avec des promesses d'amour, elle réussit à lui faire abandonner ses vœux. Ils n'avaient pas d'argent pour s'enfuir, alors ils volèrent les vases sacrés de l'église et les vendirent. Mais ils furent pris et arrêtés.

—Cette femme réussit à enjôler le geôlier de sa prison, et le convainquit de la laisser s'enfuir. Mais le jeune prêtre, lui, fut condamné à dix ans de prison et à la flétrissure! Moi, le bourreau de Lille, j'ai dû exécuter la sentence et marquer le coupable au fer rouge. C'était mon frère!

—J'ai juré que cette femme serait punie elle aussi. Je l'ai poursuivie, rattrapée et marquée de la même *fleur de lis* que j'avais imprimée à

Vol dans l'église

mon frère.

Pendant ce temps, mon frère s'était échappé de prison et je fus accusé de complicité. Je fus condamné aux fers à sa place. Mon frère bien sûr, ne savait rien de tout cela. Il avait rejoint cette femme et ils s'étaient installés dans un petit village où ils passaient pour frère et sœur et où il officiait à l'église.

Le Seigneur de cette province tomba amoureux d'elle et elle quitta le prêtre pour devenir la très riche et très noble comtesse de La Fère.

Tous les yeux se tournèrent vers Athos et il fit signe que tout ceci était vrai.

—Alors, reprit le bourreau, mon frère qui ne pouvait plus supporter sa honte, quitta le village, revint à Lille et quand il apprit que je purgeais sa peine à sa place, il se constitua prisonnier. Cette même nuit, il se pendit dans sa prison. Voici ses crimes. Voici pourquoi elle a été flétrie au fer.

Athos s'avança d'un pas.

Le jeune prêtre se pend dans sa cellule.

—Messieurs, vous avez entendu les crimes qu'a commis cette femme. Quelle est votre sentence?

—La mort, dit Porthos.

—La mort, dit Aramis.

—La mort, dit d'Artagnan.

—La mort, dit le bourreau de Lille.

—La mort, dit Athos.

Milady poussa un cri effroyable et tomba à genoux. Le bourreau la releva et la porta vers une petite embarcation attachée à la rive. Milady luttait et se débattait comme une tigresse, hurlant: —Vous n'êtes pas des juges, vous êtes des meurtriers.

Les cris de Milady étaient si déchirants qu'ils touchèrent le cœur de d'Artagnan. Il allait vers elle, quand une poigne d'acier l'arrêta.

—Un pas de plus, d'Artagnan, et nous croiserons le fer, dit Athos. Et cette fois, je jure devant Dieu que je vous tuerai!

Quand l'embarcation atteignit la rive op-

Athos avertit d'Artagnan.

posée, le bourreau jeta sa prisonnière à genoux devant lui, leva lentement sa grande épée au-dessus de sa tête, puis l'abaissa de toute sa force. Un cri atroce retentit au moment où il exécuta Milady, le démon fait femme.

Le bourreau détacha son manteau et l'étendit au sol. Il y coucha le corps mutilé, le noua aux quatre coins, le chargea sur son épaule et remonta dans le bateau.

Arrivé au milieu de la rivière, il arrêta la barque, se leva et soulevant le fardeau au-dessus de l'eau:

—Que la justice de Dieu soit faite, s'écria-t-il.

Il laissa tomber le manteau et son contenu dans la rivière et garda les yeux fixés dessus jusqu'à ce qu'ils coulent au fond.

Les quatre hommes sur la rive ôtèrent leur chapeau et dirent une prière.

L'exécution

D'Artagnan est arrêté.

Chapitre 15

Les quatre mousquetaires

Paris célébrait la grande victoire de La Rochelle quand d'Artagnan et les trois mousquetaires entrèrent dans la ville. Comme ils approchaient des grilles du palais, une escouade de gardes du Cardinal les arrêta.

—Monsieur d'Artagnan, au nom de Son Eminence, je vous arrête. Nous avons ordre de vous conduire immédiatement au Cardinal, dit le chef du groupe.

—N'ayez crainte, mon ami, nous vous accompagnons chez Richelieu, dit Athos.

Les gardes conduisirent d'Artagnan dans le

cabinet de travail du Cardinal mais arrêtèrent ses trois amis à la porte.

—Nous t'attendons, d'Artagnan, dit Athos à voix assez haute pour être sûr que le Cardinal l'entendrait.

D'Artagnan se retrouva en face du Cardinal, séparé de lui par une longue table. C'était sa première rencontre avec Richelieu et, il en avait bien peur, la dernière!

Le Cardinal prit la parole:

—Monsieur, j'avais espéré pouvoir un jour vous serrer la main en signe d'amitié et de louange pour votre bravoure. Mais cela est impossible maintenant car vous êtes accusé du meurtre d'un des plus fidèles serviteurs du royaume.

—Cette femme était coupable de nombreux crimes, de plusieurs meurtres. Je l'ai fait payer pour ses crimes de la même façon.

—Oui, sans doute . . . et Rochefort aussi. Ce sont là de bien grandes actions pour un jeune Gascon.

D'Artagnan est accusé de meurtre.

Mais vos victoires sont trop coûteuses, Monsieur, pour moi et pour la France. Vous serez donc jugé et condamné à mort.

—Je ne le pense pas, Monseigneur, dit d'Artagnan avec un sourire, car j'ai une lettre en bonne et due forme qui m'a autorisé à faire ce que j'ai fait.

—Une lettre? Signée par qui? demanda Richelieu, marquant sa surprise.

—Par Votre Eminence! dit d'Artagnan sortant de sa poche le papier qu'Athos avait arraché à Milady à l'auberge de la Colombe Rouge.

Richelieu prit le papier et lut: "C'EST PAR MON ORDRE ET POUR LE BIEN DE L'ETAT QUE LE PORTEUR DE CETTE LETTRE A FAIT CE QU'IL A FAIT. 3 DECEMBRE 1627. RICHELIEU."

Lorsqu'il eut achevé sa lecture, Richelieu resta plongé dans ses pensées pendant de nombreuses minutes, triturant le papier entre ses doigts. Enfin il leva les yeux et sourit.

—On doit faire très attention à ce que l'on

Le Cardinal déchire la lettre.

met par écrit, dit-il, déchirant le papier en mille morceaux.

Puis il prit la plume et se mit à écrire sur une grande feuille de parchemin.

—Je suis perdu! pensa d'Artagnan. Il est en train de signer ma condamnation à mort. Mais je mourrai comme un brave.

—Tenez, Monsieur, dit le Cardinal tendant le parchemin à d'Artagnan.

—Mais c'est un brevet de lieutenance dans les mousquetaires du Roi! s'exclama-t-il.

—Oui, Monsieur, et il ne vous reste plus qu'à y mettre votre nom.

—Oh, Monseigneur, s'écria d'Artagnan mettant le genou en terre, je ne mérite pas un tel honneur. Etre simple soldat dans les mousquetaires serait ample récompense pour moi et j'ai trois amis qui méritent ce brevet beaucoup plus que moi.

—Eh bien, faites-en ce qu'il vous plaira, mais souvenez-vous que c'est à vous que je l'ai donné. Et maintenant, au revoir Monsieur

D'Artagnan reçoit un brevet.

d'Artagnan.

D'Artagnan sortit de la pièce dans un état indicible.

—Ami, êtes-vous tout à fait bien? s'écria Athos en voyant d'Artagnan passer la porte en titubant.

—Oui . . . oui . . . dit d'Artagnan. Regardez Athos, le Cardinal m'a donné ce brevet de lieutenant, mais je ne peux le prendre: il vous revient, bien sûr.

Athos sourit et répliqua:

—Mon cher ami, ce brevet est beaucoup trop pour un simple soldat comme Athos et trop peu pour le comte de La Fère. Vous l'avez gagné, vous le gardez!

D'Artagnan passa le parchemin à Porthos.

—Et vous, mon ami, pensez quelle allure splendide vous aurez dans l'uniforme d'un lieutenant des mousquetaires.

—Mon cher ami, dit Porthos en lui rendant le brevet, je porterai bientôt les vêtements d'un grand seigneur. Ma chère duchesse a hérité

Athos refuse le brevet.

d'une belle petite somme d'argent et elle me presse de l'épouser depuis des années . . . ce que je vais faire maintenant. Gardez le brevet, cela ne convient pas à un grand seigneur.

—Vous alors, Aramis! Vous êtes un homme de grande éducation et de grande sagesse.

—Mon cher ami, dit Aramis, vous oubliez que je ne suis mousquetaire que par interim. J'ai toujours le projet d'entrer dans les ordres quand j'en aurai le temps. Non, gardez le brevet, vous serez un brave et aventureux officier.

—Mais si j'accepte ce brevet et deviens officier, je perdrai tous mes amis. Un officier n'a pas d'amis! s'exclama d'Artagnan.

—Ne craignez rien, dit Athos prenant une plume et écrivant le nom de d'Artagnan sur le parchemin. Nous sommes maintenant les "quatre" mousquetaires, mais nous serons toujours fidèles à notre devise.

—Oui! reprirent-ils tous d'une seule voix, croisant leurs quatre épées: "Tous pour un et un pour tous!"

“Tous pour un et un pour tous!”